YOSHIDA STYLE   BALL JOINTED DOLL MAKING GUIDE

Written & Photographed by Ryo Yoshida
Designed by Asako Tanaka (uNdercurrent)
Edited by Seiko Omura

Special thanks to Hizuki, DOLL SPACE PYGMALION

Published by Hideo Yamaguchi (Hobby Japan Co.,Ltd.)
First published in Japan, September 2006
Second published in Japan, November 2006

Hobby Japan Co.,Ltd.
2-15-8, Yoyogi Shibuya-ku Tokyo 151-0053 Japan
Tel:+81-3-5304-7601 (editorial staff)
    +81-3-5304-9112 (sales office)
www.hobbyjapan.co.jp

Printed and bound in Japan by DNP

All rights reserved. No part of this publication
may be reproduced in whole or part in any form or by
any means without permission from the publisher.
©Ryo Yoshida   ISBN 4-89425-460-3

吉田式 球体関節人形 制作技法書

YOSHIDA STYLE　BALL JOINTED DOLL MAKING GUIDE

Forward

最近、人形をカスタマイズしたり、オリジナルで制作する若者が増えているようです。アニメーションやゲームのキャラクターのフィギュアも量産され、アートシーンにも人形が登場しています。人形は、単なるオタクの趣味を超えて一般にも認知され、一昔前の「人形は婦女子の習い事」ではなくなっているようです。

本書は月刊ホビージャパンに2004年10月より19回にわたって連載された「吉田良 球体関節人形制作ノート」をベースに、より理解し易くなるように写真ページを増やし補足項目を加えました。球体関節人形の制作にチャレンジする初心者の方にも技法を理解していただけるように解説してあります。興味のある方はぜひ本書を手引きにあなた自身のオリジナル人形の制作を始めてください。完成した人形はあなたに作る喜びを与えてくれることと思います。

吉田 良

These days, many young people enjoy customizing and making their own dolls. There are many products featuring characters from animations & games in the market, and dolls are found even in art scenes. Dolls are not only for girls, but it has been growing a more popular hobby beyond the OTAKU world.

This book is based on the serial HOW TO articles "RYO YOSHIDA Ball Jointed Doll Making Guide" in Monthly HOBBY JAPAN for 19 months since Oct-2004 issue. I have added more explanations and photographs to help especially beginners understand techniques of doll making.

Please start making your original doll. I wish that this book may help you. I am sure that making your own doll will bring you joy and happiness of handicraft.

Ryo Yoshida

CONTENTS

Chapter I 基礎 Base ——— 9
- I-1 製図・デッサン — Drawing & Sketch — 10
- I-2 芯材を削る — Make a core of the doll — 12
- I-3 ベースをつくる — Make a base — 16

Chapter II 造形 Modeling ——— 19
- II-1 顔をつくる — Model a face — 20
- II-2 ボディをつくる — Make a body — 24
- II-3 腕と脚をつくる — Make arms & legs — 28
- II-4 手足をつくる — Make hands & feet — 32
- II-5 サンディング — Sanding — 40

Chapter III 関節 Joints ——— 43
- III-1 関節の球をつくる — Make ball joints — 44
- III-2 球を固定する — Fix balls — 50
- III-3 球の受けをつくる — Make joint's saucers — 52
- III-4 首関節を設定する — Set up a neck joint — 58

Chapter IV 組立 Construction ——— 61
- IV-1 義眼 — Artificial eyes — 62
- IV-2 義眼・義歯をつくる — Make artificial eyes & teeth — 66
- IV-3 腕・脚の接合準備 — Set up to put together arms & legs — 70
- IV-4 手首・足首・頭の接合準備 — Set up to put together wrists, ankles & head — 72
- IV-5 接合 — Joining — 76

Chapter V 塗装 Painting ——— 79
- V-1 下地塗装 — Foundation coating — 80
- V-2 下地塗装（上級編） — Foundation coating (Advanced) — 82
- V-3 肌をつくる — Create skin — 86

Chapter VI 髪 Hair ——— 95
- VI-1 髪を貼る — Put hairs on — 96
- VI-2 頭頂部 — Top of the head — 98
- VI-3 ヘアメイク — Hair arrange — 102

Chapter VII 靴 Shoes ——— 105
- VII-1 靴をつくる — Make shoes — 106

道具と素材 — Tools & Material — 8,15,94
ショップ紹介・参考文献 — Shop list & References — 134

竹べら

市販の物は写真（上）のようになっています。写真（下）のように自分の使いやすい形状に削って使ってください。竹べらだけで十分ですが、摩耗しない金属製の粘土べらや造形用スパチュラもあれば便利。自作する場合は竹の皮側を残して薄く研磨して、両端を鋭い形と丸みのある形に削ります。

アートナイフ

柄がペンのように細身で手に馴染み使いやすく、小回りがきくナイフ。デザインナイフと似ていますが、造形作業にはオルファより発売されている大きいアートナイフの方が向いているようです。マメに刃を替える必要があるので替え刃は多めに用意しておくこと。

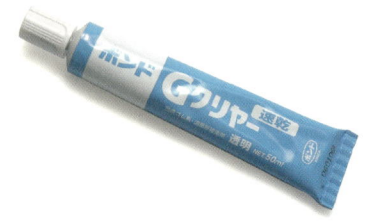

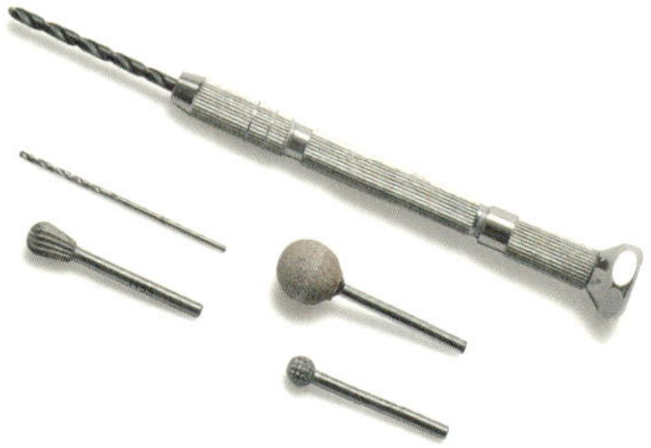

カッターナイフ

カッターナイフは通常のサイズの他に、大きな工作用カッターがあると非常に便利。柄やラチェット部分がすべて樹脂製の物は力の加わる作業では心許ないので避けた方が良いでしょう。

ピンバイスとドリル刃

手動で特定サイズの穴を開けるのに使います。ピンバイスにドリル刃を固定し、素材に押しつけゆっくり回して穴を開けます。ピンバイスはホルダーのような物で、単品では役に立たないので、必ずドリル刃セットと一緒に購入すること。

Gクリヤー

合成ゴム系の接着剤。ゴム、硬質プラスチックなど、様々な素材を接着できます。濡れた状態で付けて乾燥させるのではなく、両面に塗って10分ほど乾燥させてから貼り合わせるタイプ。できるだけ強く押しつけるのがポイントです。

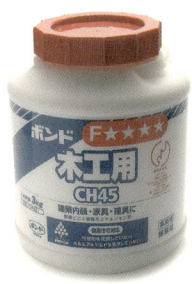
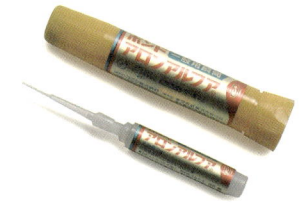
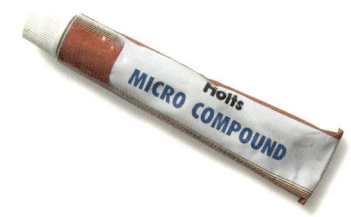

木工用ボンド

水性酢酸ビニール系接着剤。紙、木、布や革などを接着できます。硬化前は白色ですが乾くと無色に変化します。水性のため無害で、素材を溶かさないといった長所を持ちます。

瞬間接着剤

シアノアクリレート系接着剤。空気中の接着面の水分によって化学反応を起こし硬化。様々な素材を素早く、強力に接着することができます。ただし衝撃には弱い面もあるので場合によっては芯を入れるなど補強が必要なことも。

コンパウンド

極細かな傷を消したり、塗膜を磨いて光沢を出すための研磨剤。柔らかい布などに付けて使い、半練り状と液状があります。義眼用のアクリル半球を磨いたりする他、グラスアイなどの表面が傷で曇ったりしたときにも使用できます。

Chapter I

基礎
Base

§1 製図・デッサン

Drawing & Sketch

1. 下図を描く　　2. 型紙をつくる

制作にあたって、まず実寸大の下図を描きます。この図をもとに芯材を削り出しますし、人形のイメージをある程度確定することになりますので、とても大切な作業です。関節部分は後で設定しますので、この段階では関節を仕込むことは意識せず、身体のラインを重視して描いてください。顔・手足の表情の前に、何より大切なのは等身バランスであり、体型です。イメージする人形がリアルなのか、デフォルメされているのか、細身なのか、グラマラスなのか。人形像の年齢を想定したりすると描きやすいと思います。年齢によって頭部に対する身体のバランスは変化します。幼児で4〜5頭身、少女・少年で6〜7頭身、成人で7〜8頭身。体格に関しても、子供は肩幅を狭くしますし、設定年齢が上がれば肩幅を広げてたくましくしていきます。美術書の人体デッサンの教本などを参考にすると良いでしょう（参考文献 P.134）。自分の作りたいイメージを探って、それに合ったプロポーションを決めてください。

†用意するもの
・製図用紙
・定規
・筆記用具
・トレーシングペーパー
・はさみ

1» 下図を描く
make a rough sketch

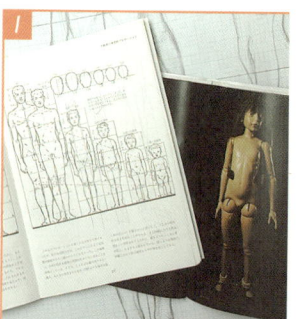
作りたい人形の頭身バランスを決めます。今回は頭部が9cmで6頭身、身長54cmの少女の人形とします。

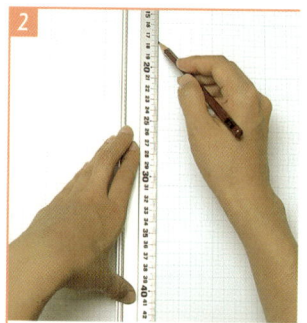
立体の作品なので、正面と側面を描いていきます。まず、正面の中心線を引きます。

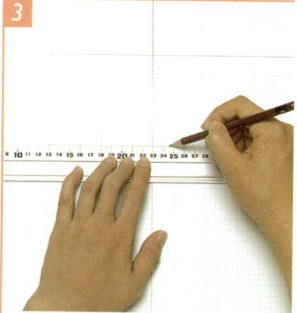
決めた頭身バランスに合わせて横線を引きます。

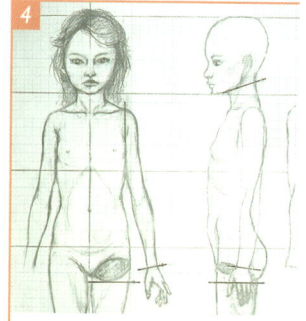
正面と横の各位置、アゴ、肩、股、ひざ、ひじ、手首などが一致するように注意して描いてください。

2» 型紙をつくる
draw a paper pattern

図が描けたら芯材を削り出すために使う型紙を、トレーシングペーパーに写し取ります。まずは中心線を引きます。

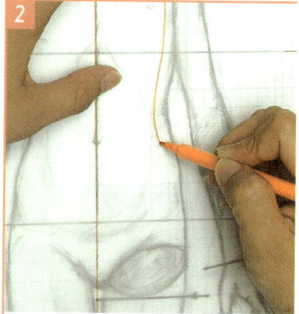
完成ラインより5mm程度内側にラインを引き直してください。その5mm縮小した分が粘土の厚みとなります。

I

基礎

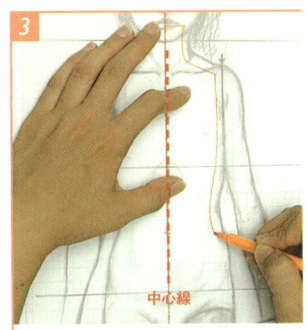

3

正面の頭部と胴体は、トレーシングペーパー上に引いた中心線を下図の中心線に重ねて半分を写し取ります。

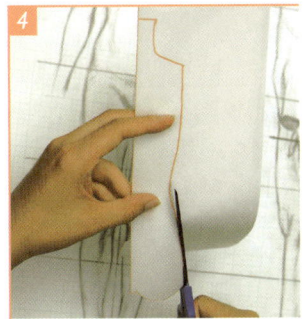

4

トレーシングペーパーの中心線で二つに折って切り取り、広げて左右対称の型紙を作ります。

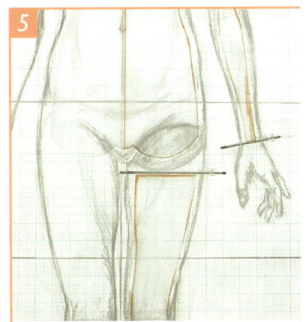

5

正面の腕と脚、側面の各部位は片側だけ描けばOKです。裏返して反対側の型紙としても使用します。

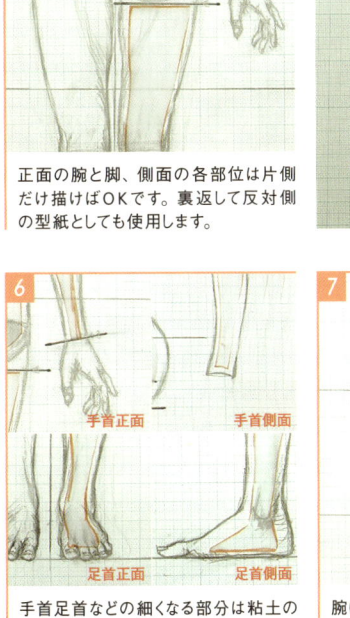

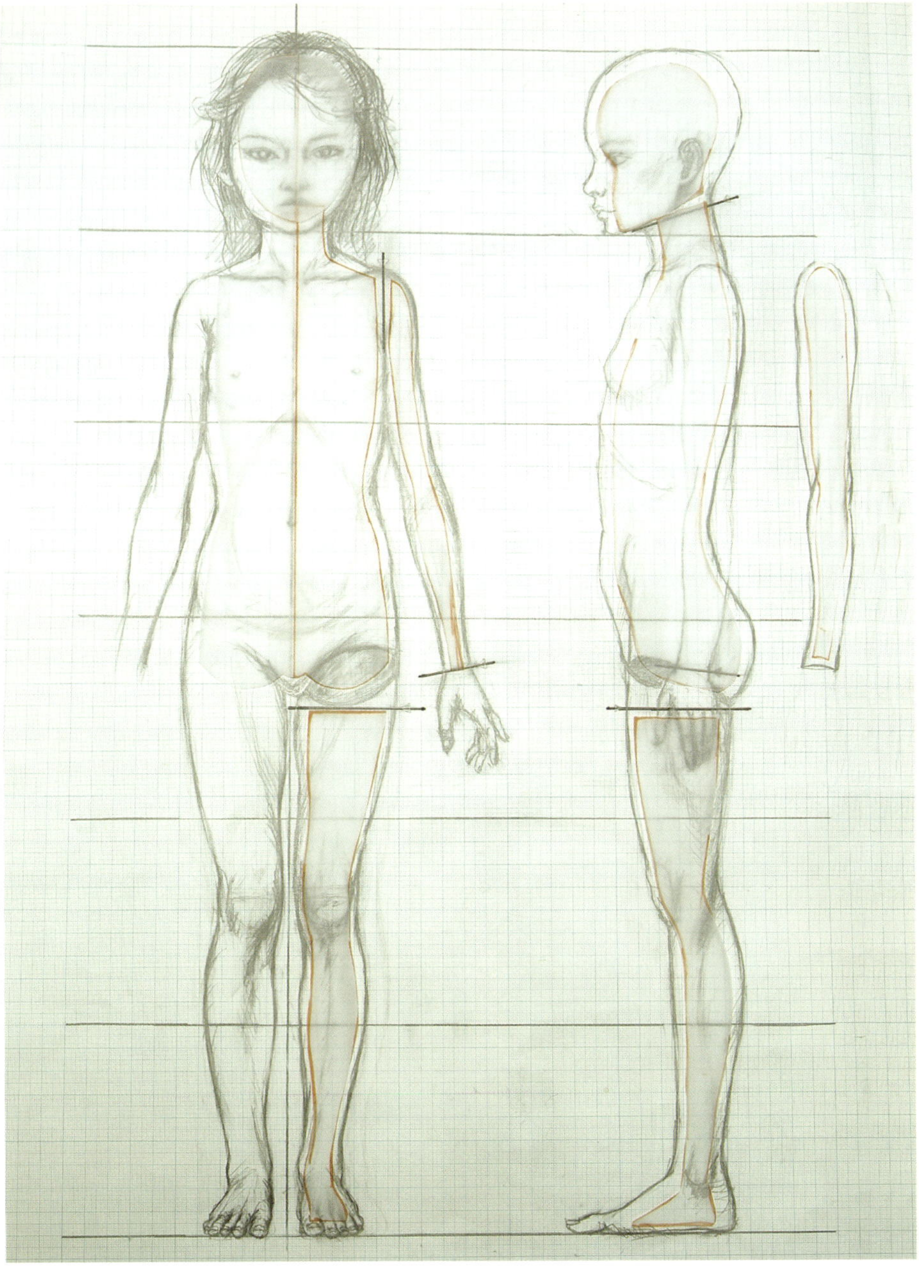

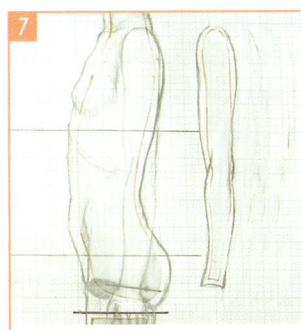

6

手首足首などの細くなる部分は粘土の厚み分が薄くなるように調整してください。ただし最低2mmは確保しましょう。

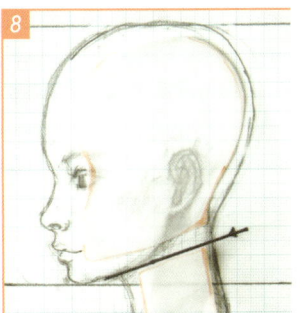

7

腕はボディと重ならないようずらして描き直します。手先は針金を使って造形するので芯材の型紙は必要ありません。

8

顔面部は造形する上で芯材が表面に出て邪魔になることがあるので、造形しやすいように粘土の厚みを多くとります。

9

写した各パーツのラインをそれぞれ切り抜いて、型紙の完成です。

11

§2 芯材を削る

Make a core of the doll

> 1. ブロック状に切り出す 　　2. 型紙をあてて切り出す 　　3. 芯材の形をつくる

粘土のベースを作るための芯を切り出します。今回は後で芯を崩して抜き出すため、やわらかい一般的なスチロールを使用します。硬質なタイプだと、後で抜き取るときに手間取るからです。実寸より一回り小さいスチロール芯を作りましょう。スチロール芯を使うことで、粘土の厚みを比較的均等に造形できるようになります。また、粘土の乾燥後に芯を抜き出し、中空にするのも簡単になります。削って形作る難しさはありますが、少しぐらいの削りすぎなら大丈夫…。でも慎重にトライしてください。発泡スチロール作業では、削ると静電気で細かいゴミが飛び散ります。事前に掃除機をそばに用意するなど対策しておきましょう。

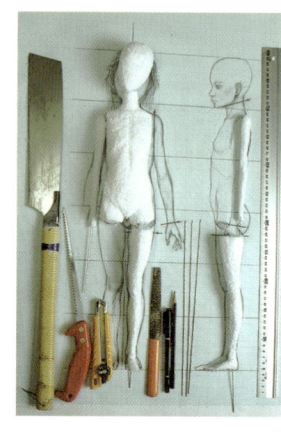

† 用意するもの
- ノコギリ
- 回し引きノコギリ
- カッターナイフ
- 木工用鬼目ヤスリ（P.41参照）
- 筆記用具
- ステンレス魚串
- 定規
- 発泡スチロール

1» ブロック状に切り出す
cut the styrene foam into 6 blocks

1 正面、側面の型紙をあてて、スチロールに大まかな切り出し線を引きます。

2 頭・胴体・両腕・両脚の計6ブロックの切り出し線を引きました。

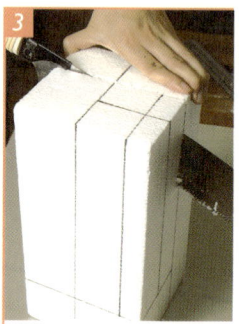
3 ノコギリ、カッターナイフなどで切り出します。

POINT ブロックの厚みに合わせて道具を使い分けましょう。スチロールカッターでもOKです。

4 6ブロックを切り出しました。

2» 型紙をあてて切り出す
cut the styrene foam out

1 各ブロックにそれぞれ型紙のラインをマジックで写していきます。まず、側面のラインを写します。

2 側面のラインを写したら、側面を切り出します。

3 次に側面の形を切り出したスチロールに正面のラインを写します。

4 正面のラインを写したら、正面を切り出します。

POINT 切り出すときは刃を垂直に使ってください。斜めに使うと形が歪みます。

POINT 先端が細く鋭利な回し引きノコギリを使うと曲線を切りやすくなります。特に大きい人形のときは便利です。

5 ボディが切り出せました。同様に、頭部も型紙に沿って切り出しましょう。

6 腕と脚の型紙は片側1枚でしたので、それぞれ型紙を裏返して左右両方の芯材を切り出します。

7 折れやすい腕と脚には魚串や細い竹串などを通して補強しておきます。

3» 芯材の形をつくる
shave the core

1 型紙通りに切り出せたらスチロールの形を整えていきます。四隅の角をナイフで軽く削り落とします。

2 全体に角を落とし、丸みをつけながら歪みを調整して、形を整えます。

3 ナイフのままでもよいですが、私は木工用の鬼目ヤスリを使用して形を整えています。

4 ボディ前部分も鬼目ヤスリで歪みを調整していきます。

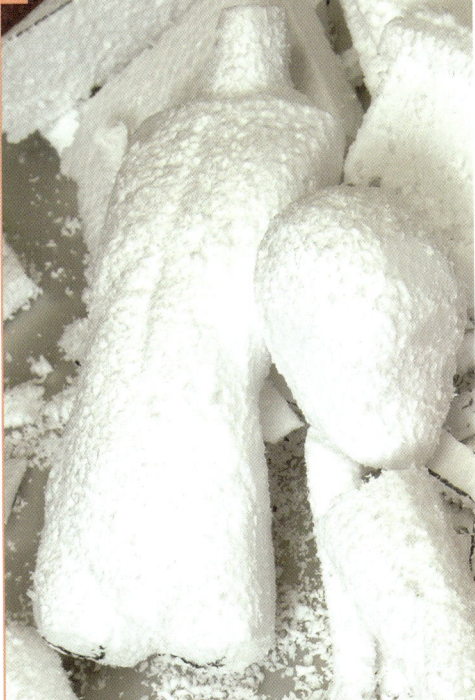

7 顔面は細かな造形をするため、粘土の厚みを他の部分より厚くします。おでこの丸みと、頬からアゴにかけての丸みに注意して削ってください。

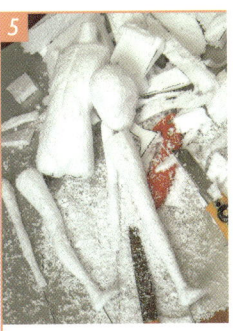

5 同様に腕、脚、頭のパーツも整えていきましょう。

6 頭部を削ります。へこみの深い目の位置がひとつのポイントになります。

頭部の芯

可愛らしい幼い顔にする場合は目の位置が上下の1/2より下になるようにしてください。高年齢の場合は逆に目の位置を上にします。目・鼻・口は粘土で造形しますのでスチロールの段階では細かなディテールは不要です。

I 基礎

I 基礎

8

上級編：芯の再利用

芯自体を再利用するために硬い芯材（スタイロフォームなど）を使って、崩さずに抜き出す方法もあります。

1 芯となるスチロールをラップやビニールでくるみ、テープでしっかり止めてから粘土を巻き、造形します。

2 粘土の表面が乾いて内側が柔らかい半乾燥状態のとき、側面（ボディなら脇部分）の中心にラインを引きます。

3 ラインに沿って、カッターで粘土の厚み部分のみ切り込みを入れて前面、背面の2分割にします。

4 歪みを防ぐため、芯にかぶせたままの状態で粘土を乾燥させた後、粘土を外して中のスチロールを取り出します。

5 カットした断面の両面に柔らかく練った粘土を付けて接着し、元の状態に戻します。

6 乾燥後、切断したライン部に隙間や割れ目がないようにチェック・補修をしっかりしてください。

ただし、スチロールを削る作業自体がデッサンの勉強として大切です。人形の骨格、姿勢や動きの土台となるのがスチロール芯です。この芯がしっかり出来ていないと粘土を付けても自然な人の形になりません。不出来な芯を再利用しても不出来な人形になりますから、最初の内は面倒でも一体ずつ削って作ってください。

Advice

芯段階とはいえ、デッサンをしっかりとって整形すれば、粘土で包んだだけである程度の形が整います。一つ一つの工程を丁寧にこなした方が結果的には早くて楽です。ただし、これはあくまで芯です。微妙な芯材の削りすぎ等は粘土作業の段階で補整しましょう。芯材が大きすぎて、粘土の厚み分の幅が足りない方が粘土造形の際には問題となります。

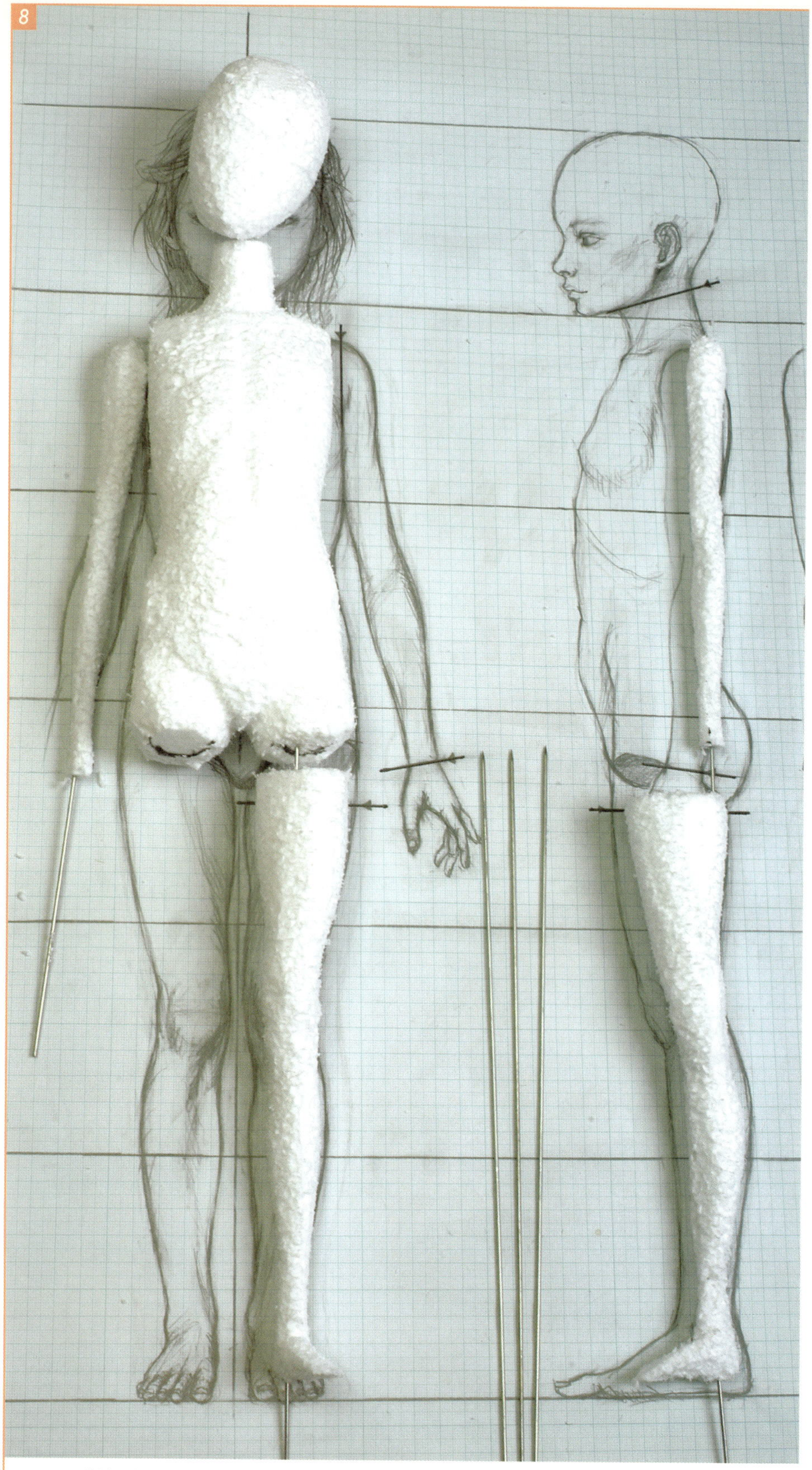

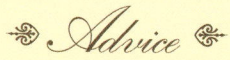

スチロール芯材の完成です。図面と合わせてみて、粘土の厚みがきちんと確保できていることを確認してください。

発泡スチロール

一般的な白い物を指します。有機溶剤を含む接着剤やマジックインキを使用すると溶けて侵食されたようになってしまうので気をつけてください。切れの悪い刃物で切ると静電気がひどくなるので、カッターなどは必ず新しい刃で使いましょう。

スチロール球

発泡スチロールの球状の物。四角から球を削り出そうとすると大変ですが、東急ハンズなどで最初から球状にしてある物が各サイズ展開しています。それらを使えば簡単です。

ラドール

創作人形にもっとも良く使用される石塑粘土。水溶性で研磨性が良く、造形性と強度のバランスのとれたスタンダードな粘土です。ビスクドールなどの原型制作にも適しています。使用前には良く練り、粘土の繊維をあらかじめ馴染ませておきましょう。

ラドール プルミエ

ラドールよりやや軽量でキメが細かく強度もあります。ただし乾燥した粘土の上への再接着力が弱いので注意が必要。水にも弱いのでしっかりと厚みを確保すること。プルミエ：ラドールの割合を半々くらいにして混ぜて使用することが多い粘土です。

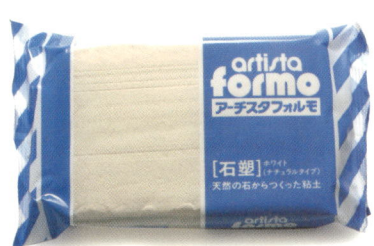

アーチスタフォルモ

ラドールより繊維質が多くキメも粗いが、その分価格も安く削りやすいので芯材として利用する人も多い石塑粘土。ホワイト・ブラウン・グリーンの3タイプあり、それぞれで混色も可能です。木に似たウッドフォルモもあり。

木の粘土

天然の木の粉と化学糊を混ぜた、粉末状の物を水で練って使用します。軽く強度が高いため、大きい人形を作る際良く利用される粘土です。乾燥時の収縮が特に激しく、ひび割れするため、石粉粘土と混合して使用するのがほとんどです。

§3 ベースをつくる

Make a base

> 1. 粘土を伸ばす　　2. 粘土を巻きつける　　3. ベースの仕上げ

ここからいよいよ粘土造形に入ります。まずは土台となる粘土ベースを作ります。綺麗に粘土を巻けるまでは多少の慣れが必要です。焦らず、浮かないようにしっかりと巻き付ければ粘土の厚みに負けることなく綺麗に土台の形が出ます。多少の浮きは、乾燥による縮みで相殺されるので、神経質になる必要はありません。スチロール部分は後で抜き取るので、粘土は最低限の厚みを均等に確保するようにしましょう。その上でデッサンを整えていきます。できるだけこの段階で、納得できるプロポーションにしておきましょう。

†用意するもの
- 粘土（ラドール）
- 粘土用のし棒（プラスチックパイプなど）
- 粘土板（粘土がつきにくいプラスチック板、またはビニールシートなど）
- 割り箸
- 粘土べら、竹べら
- ブラシ、歯ブラシ
- バケツ（ブラシが入る物）
- はさみ

1» 粘土を伸ばす
stretch clay

1　粘土板を用意し、開封したラドールの1/2程度をのし棒で伸ばし、均等な厚みにします。

2　このとき、厚みのガイドとして割り箸や太めの針金を敷いて使うと厚みを均一に調整できます。

3　バケツなどに水をはり、ブラシをいれて水を含ませます。

4　粘土の密着性を高めるために、表面を水を含ませたブラシで擦って柔らかくします。

POINT　芯材を粘土で包むとき、互いが密着しないと空気の層ができて造形しづらくなります。

2» 粘土を巻きつける
wrap the core in clay

1　粘土の表面を柔らかくしたところに、芯材を置きます。

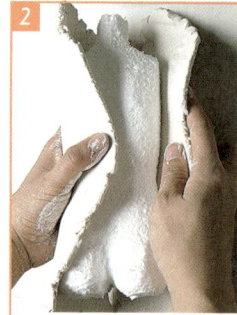

2　スチロールを包むようにして粘土を巻きつけます。

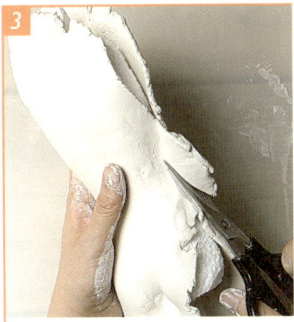

3
合わせ目はハサミやヘラで切り落としてからよく揉み合わせてください。

粘土をつなぐ

粘土をつなぎ合わせたり盛り重ねる場合は、粘土に十分な湿り気があり、しっとりしていることを確認してください。よく練り合わせて、粘土が一体化するようにします。粘土の間に空気の層が入ると後からひび割れの原因となり、もろくなってしまいます。湿らせることで粘土同士が密着し、空気の層が入りにくくなるのです。

4
粘土が足りなくて、スチロールが出てしまうところは新しく粘土を継ぎ足します。

5
このときも合わせ目は粘土を揉み合わせて、粘土同士が一体化するように注意しましょう。

6
後で関節を設定する部分（肩・股関節・手首・首）はスチロールが見えるように、円形に粘土を取り除いてください。

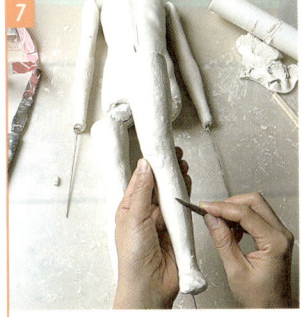

7
腕と脚にも同様に粘土を巻いていきます。芯材に刺した魚串を抜かないまま作業した方が折れにくいです。

Advice

手首・足首部分は最初に均等な厚みに伸ばした粘土では厚すぎる場合があります。そのときは均等に伸ばした粘土を手足の先側に向かって徐々に薄く伸ばしてから包むとうまくいきます。粘土をつなぎ合わせる部分は、粘土と粘土が一体化するようにもみ合わせましょう。

約5mm　足首方向に徐々に薄く　約2mm
脚の芯　　粘土断面

3 » ベースの仕上げ
put the final touches on the base

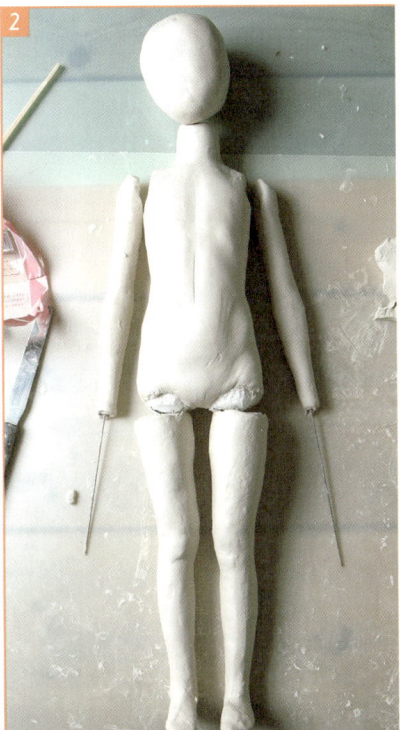

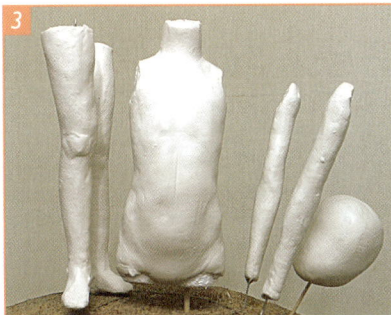

3
ここまでの作業が終わった段階で一度乾燥させます。一気に細部まで造形できる方は作り込んでしまってかまいません。

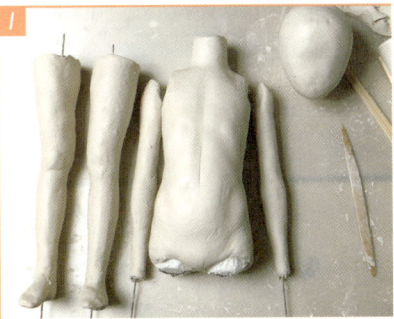

1
粘土でスチロールを包んだ状態で、もう一度全体のプロポーションとデッサンを確認しましょう。厚く包みすぎるとボッテリしてしまいます。

2
各部位を一度並べてみるとわかりやすいです。粘土を付けすぎた分などを調整します。できるだけこの作業の段階で納得できるプロポーションにしてください。

Advice

乾燥させるときは、必ず各パーツを立てて全面が空気にあたるようにして下さい。寝かせて乾燥させると反り返ったり、歪む原因となります。

I　基礎

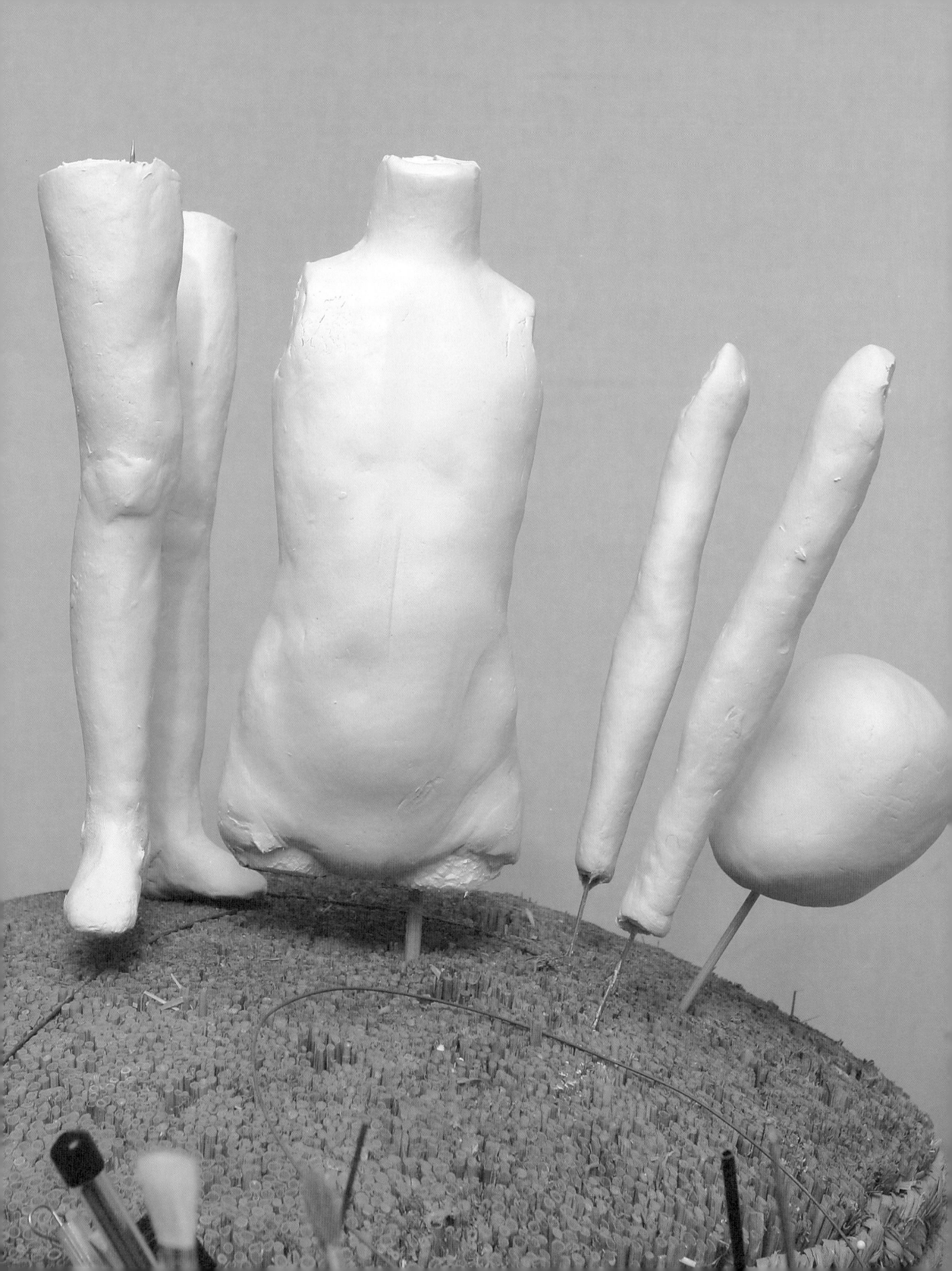

Chapter II

造形
Modeling

II 造形

§1 顔をつくる

Model a face

1. 土台をつくる　→　2. 目・鼻・耳の造形　→　3. 細部・全体の調整

人形の前に立ったとき、誰しもまずは無意識のうちに顔を見てしまうのではないでしょうか。人形は顔が命といわれます。顔の造形で大切なのはバランスです。身体と同じように、顔のプロポーションも成長年齢と共に変化します。幼く可愛い顔にするには頭部正面の上下1/2以下に顔面を作るとよいでしょう。また、身体、手、足、すべてに表情がありますが、顔の表情は中でも重要です。人間の表情は人形の表情となります。表情は笑う、泣くといった具体的なもの以外にも様々あります。作り手それぞれの思いを個性的な人形の形にしてください。

† 用意するもの
・粘土べら、竹べら
・筆
・筆記用具
・粘土、水

1» 土台をつくる
make a foundation

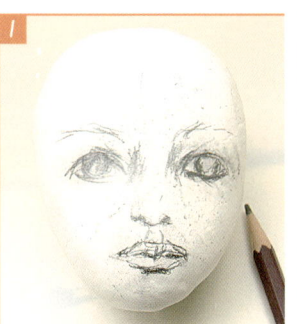

1 大体のイメージを描いてみましょう。慣れている場合は描かずに粘土を盛る作業に入っても構いません。

2 乾燥した粘土面を濡らし、よく練った粘土をこすり付けながら盛り付けます。粘土が一体化するようにしてください。

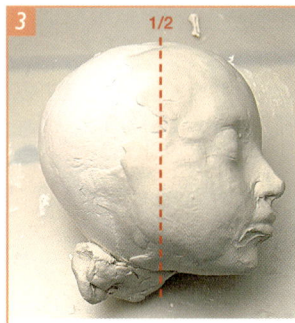

3 側面も前後1/2あたりからをアゴのラインとして、立体的に作りましょう。まずは顔全体の雰囲気を作ってください。

POINT 1ヵ所を作り込んでしまいがちですが、骨格・目の位置・鼻の長さ・口の大きさなどに注意して、大まかなバランスをとります。

2» 目・鼻・耳の造形
model a nose, eyes & ears

1 大体の位置が決まったら、各パーツを造形していきます。まず、目の丸みを作ります。

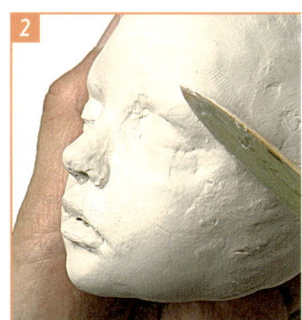

2 後で義眼を入れますが、まずは目を閉じている状態で作りましょう。

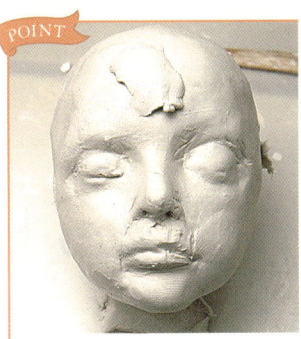

POINT 目玉（義眼）は球体ですからまぶたの内側の球体の丸さを感じるように作ってください。

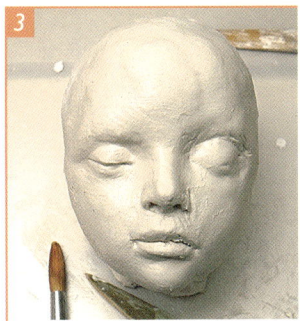

3 ヘラと筆をうまく使って造形していきます。丸みや深さのある部分（唇、耳の内側など）には筆の方が便利です。

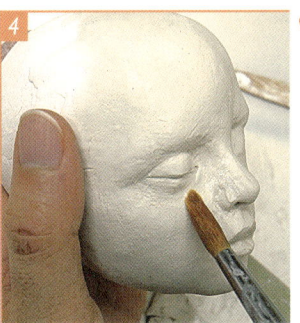

4 筆の場合は油彩用の腰の強めの筆に水をつけ、粘土の表面を滑らかにしながら使ってください。

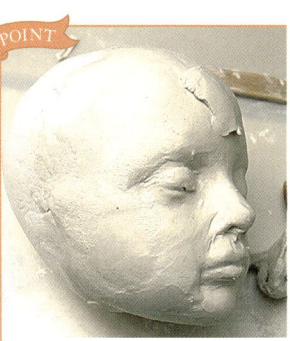

POINT 鼻は短めで若干上向き、口も小さめでぽっちゃりとすると子供らしくなります。大人は鼻筋を長く、口は大きくします。

5 各部の形が整ってきたらヘラを使ってまぶたを開けて、眼球部を作りましょう。ここでも眼球の丸みを意識して作ってください。

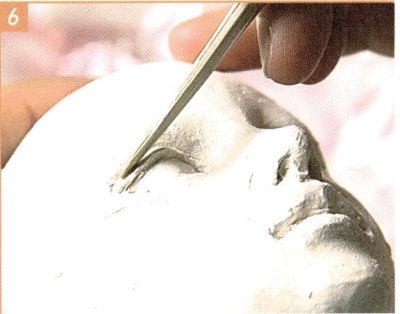

6 まぶたの2重ラインを作っているところです。

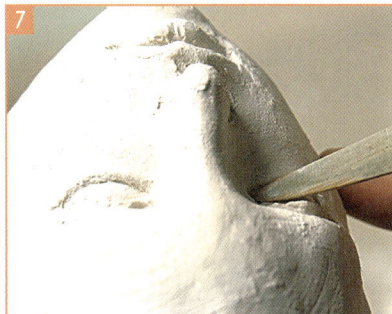

7 目頭を作ります。

8 続けて目尻、下まぶたも作ります。

9 常に眼球の丸みを意識して作りましょう。

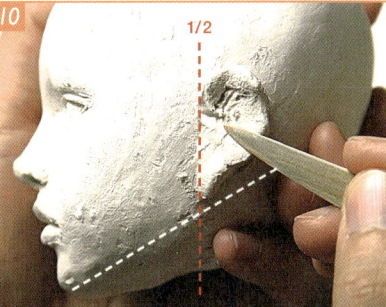

10 次に耳の造形です。耳の位置は頭部側面の1/2のアゴの延長に耳たぶがあり、頬骨の延長上に耳の上部付け根があります。

11 粘土をしっかりつけて耳の輪郭を作ります。

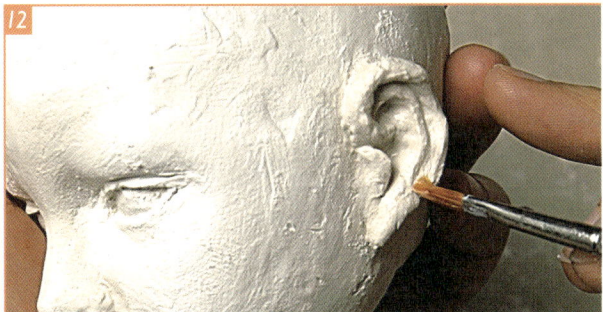

12 ヘラ、筆を使って細部を造形します。

3 » 細部・全体の調整
regulation the detail

頭部全体と顔の各部のバランスを再度確認しながら、全体を調整していきます。

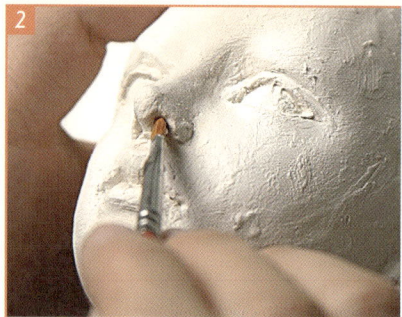

目、鼻筋、鼻頭、小鼻、唇の丸み、口元、頬などを調整します。

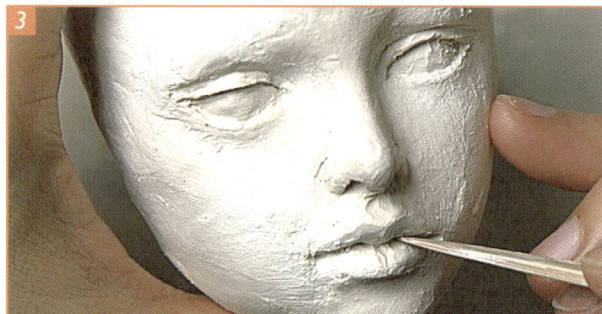

竹べら、筆、指を使い分けて作り込んでいきましょう。

Advice

初心者は立体を作っているのについ平面的になりがちです。正面からみているだけではダメ!! 上下、左右、斜め、いろいろな方向から観察して、シンメトリーになっているかどうか確認してください。少し大げさなくらいに立体感を意識して作りましょう。丸い骨格の上に、丸い目、鼻、口があるのです。

この後、ヤスリでサンディング（P.40参照）しながら最終的な調整をします。

§2 ボディをつくる

Make a body

1. プロポーションの調整　　2. 細部の作り込み

顔と同じように身体にも、もちろん表情があります。最近は舞踏や芝居など、身体を使った表現に身体言語といった言葉が使われますが、人形はまさに人体そのものの表現です。胸を張って姿勢の良い状態と猫背でかがんだ状態ではまるで違った印象になりますし、筋肉のスジを強調すれば緊張感のある表情になります。胸や腰のボリュームも大切です。顔や全体のイメージを考えながら制作してください。

† 用意するもの
- 鬼目ヤスリ
- カッター
- 粘土べら、竹べら
- 筆　・筆記用具
- 粘土、水

1» プロポーションの調整　regulation

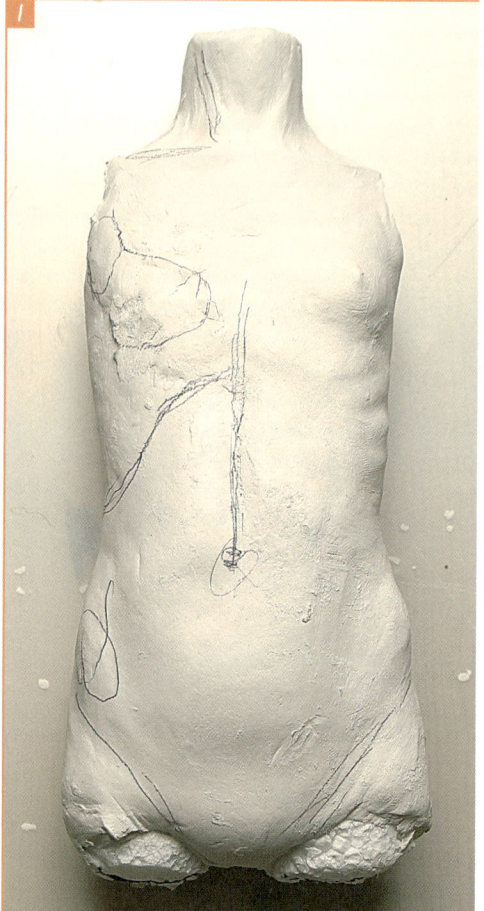

乾燥させたボディを前後、上下、左右、各方面から観察しましょう。左右のバランスやシンメトリーのバランスは、逆さにして見たり鏡に映すとわかりやすいです。

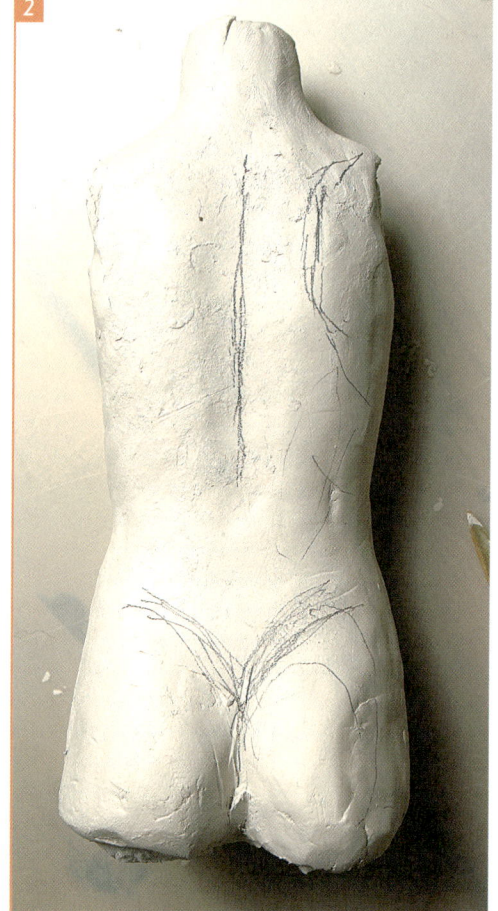

後ろ側もチェックして調整する目安を鉛筆で書き込みます。

POINT

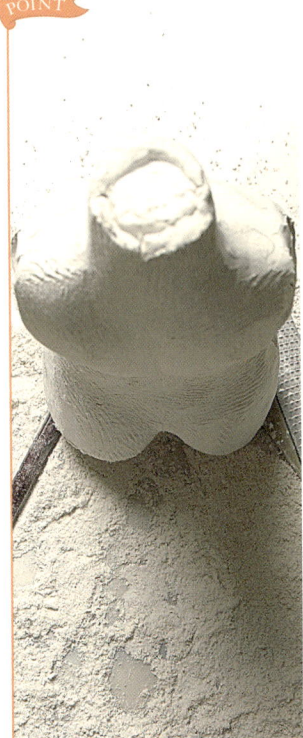

上半身と下半身の歪み、ねじれは上下方向から見るとわかりやすいです。

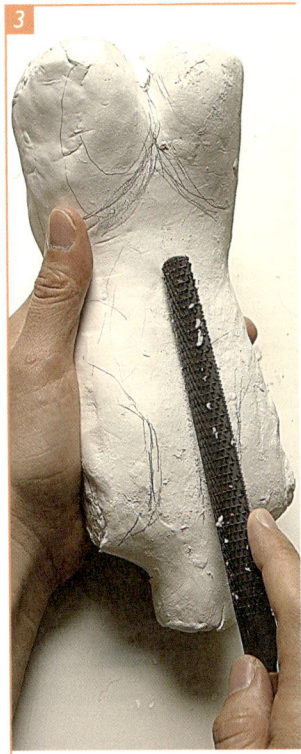

3

金属の木工用鬼目ヤスリ（P.41参照）で削って歪みを調整しましょう。

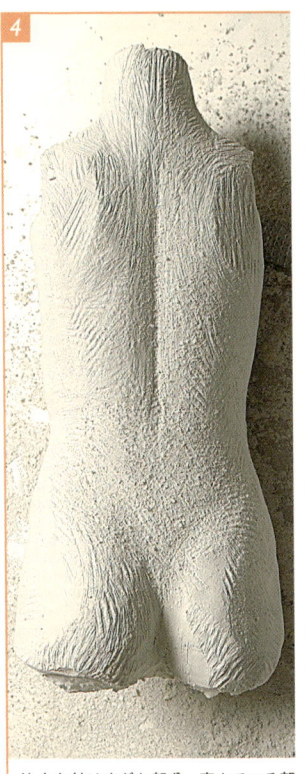

4

粘土を付けすぎた部分、窪んでいる部分、歪んでいる部分を削って造形します。

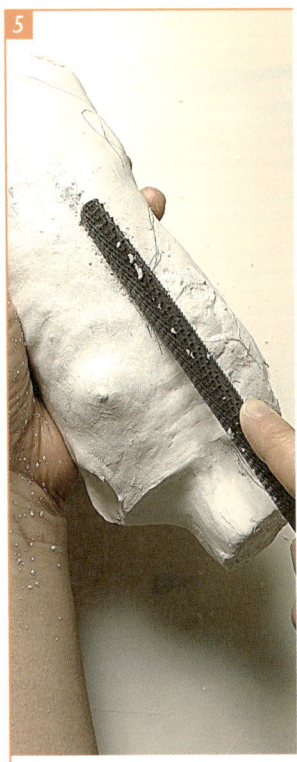

5

おなかも削りながら造形します。

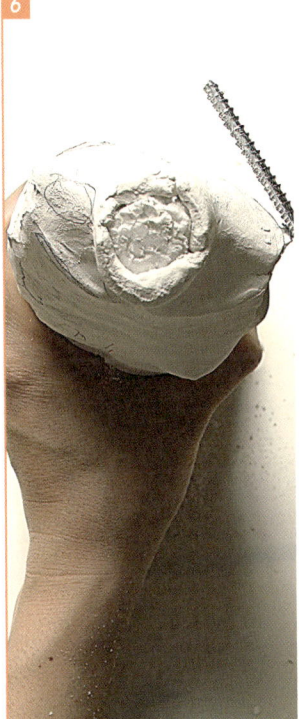

6

上方向からも見ながら歪みを調整していきます。

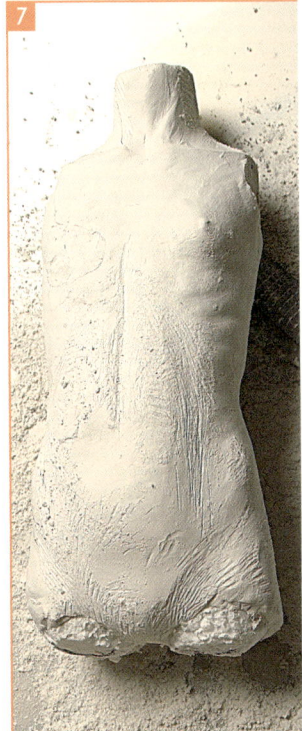

7

全体の歪みを調整し、イメージに近づけました。

ひび割れの修繕

乾燥させると若干の収縮やクラック（ひび割れ）が出ます。細かい割れ目は、単に粘土を付けるだけでは奥まで粘土が届かないので、まずカッターなどで割れ目を広げます。その割れ目を水で濡らしてから、良く練った柔らかめの粘土を擦り付けて埋めていってください。あらかじめ、粘土を水で練って通常より柔らかめの粘土を作っておくと便利です。ひび割れの修繕に、安易に木工ボンドなどを使用するのは避けましょう。サンディング段階で、粘土より硬い接着剤の部分がライン状に浮き出てきてしまいます。

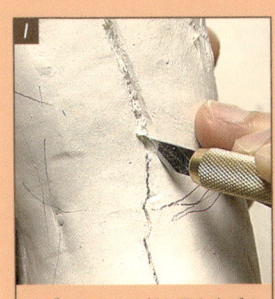

1

まずカッターで割れ目を広げます。

2

割れ目を水で濡らしてから、良く練った柔らかめの粘土を擦り付けて埋めていきます。

II 造形

2» 細部の作り込み
make the detail

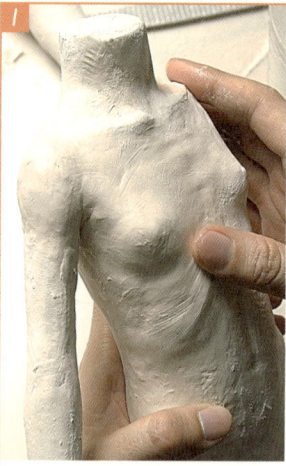

1 削って少し形が見えてきたら、粘土を付けて更に細かく造形していきます。

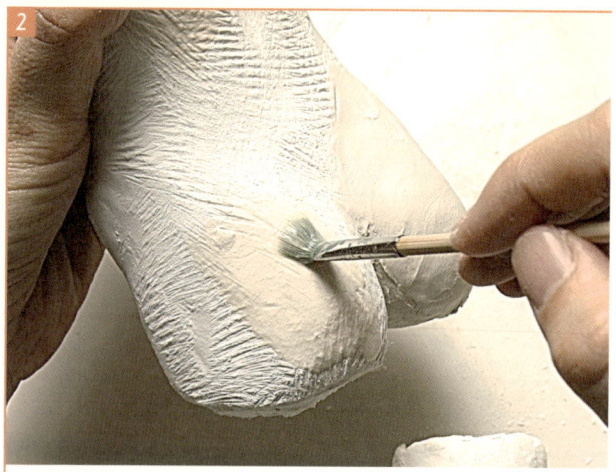

2 乾燥面は必ず水で濡らして、粘土を良く擦り付けます。粘土同士を密着させ、空気の層を作らないようにします。

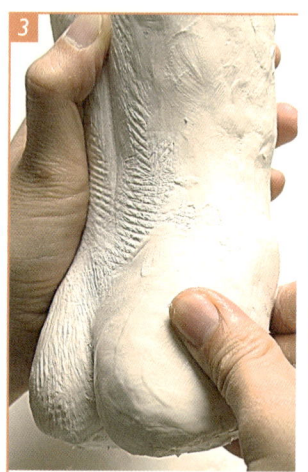

3 丸みのある柔らかい感じを出したい部分は、指で整えた方が早く綺麗に仕上がります。手は何よりも優れた道具です。

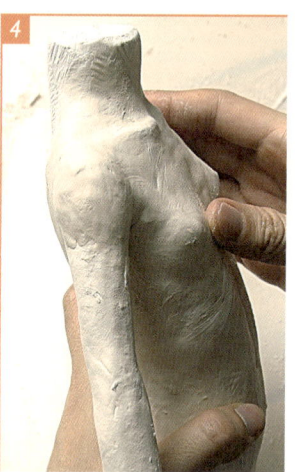

4 肩から腕の三角筋は、ボディと腕をつなげて作業した方が造形しやすいです。

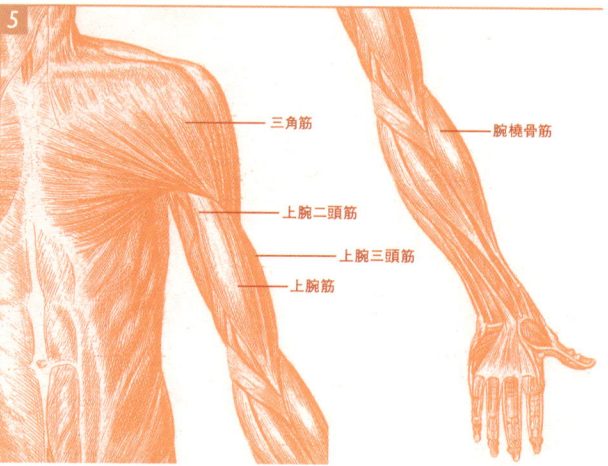

5 筋肉の図解を参考にしましょう。肩の造形は、腕の太さやバランスの決定にも関係してきます。この肩部分の太さを目安に腕を作ることにもなります。

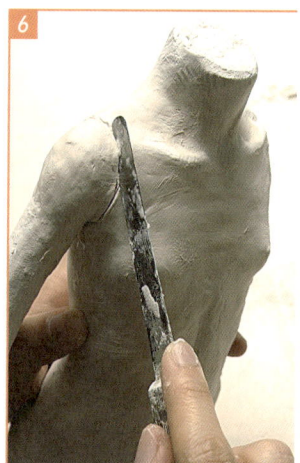

6 造形後に再度切り離してください。

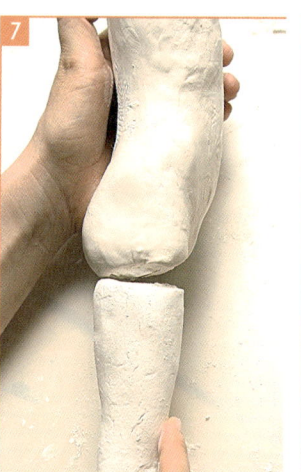

7 尻・股の造形は、脚の太さやバランスの決定に関係してきます。脚もつなげて造形後、切り離してもよいです。

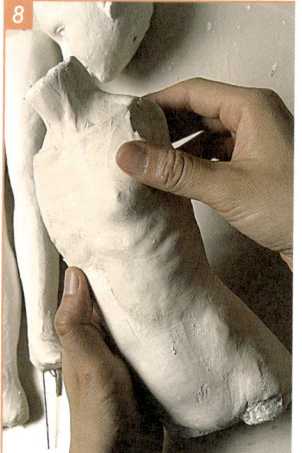

8 この後、サンディング（P.40参照）しながら更に細部の調整、造形を繰り返します。

Advice

関節人形はパーツごとの制作です。そのため各部分の造形に夢中になってしまい、細部はよくできているのに全体のバランスが崩れていることがあります。ときどき全身を並べてバランスをチェックしましょう。各パーツの骨の出た部分を意識して作るとメリハリがつきます。筋肉や骨などのデッサンは、美術解剖の解説書等（P.134参照）を参考にしてください。

§3 腕と脚をつくる

Make arms & legs

1. 腕の造形 　　2. 脚の造形

腕と脚は、顔やボディと比較するとメリハリが弱いため造形するにもわかりにくいパーツとなります。その上、左右があり、シンメトリーの具合も注意して作らなければならない難易度の高い部分です。よく身体を観察しながら、時間をかけて根気よく制作しましょう。

† 用意するもの
- 鬼目ヤスリ ・カッター
- 粘土べら、竹べら
- 粘土、水 ・筆記用具

1» 腕の造形
model arms

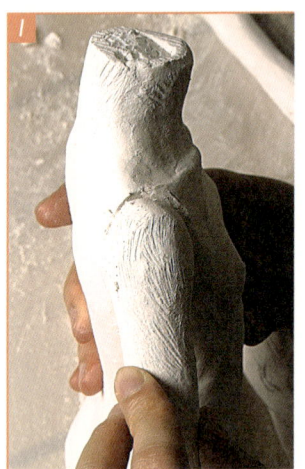
まず全体のバランスをチェックして、三角筋、肩部分の太さを目安に作っていきます。

肩との接合部分の大きさを調整します。

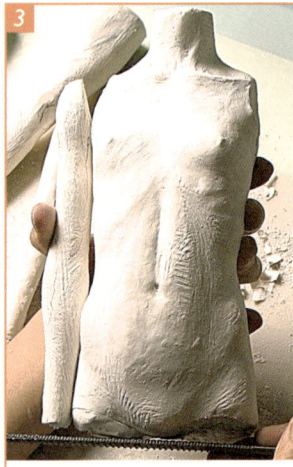
腕の長さはボディと比較して股までの長さより若干短めにします。

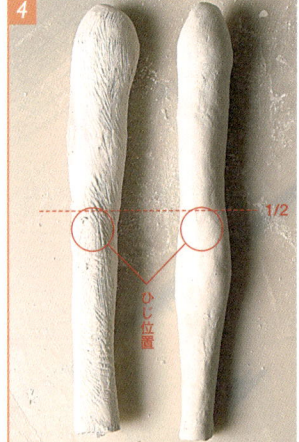
ひじの位置は腕の長さの1/2より下で、上腕部の方が長くなります。

腕の長さと向き

腕の長さには個体差があります。足を長く設定する場合は腕も長くします。今回は標準的な設定としました。手首に入る球の関節分だけ仕上がったときには長くなるので注意してください。人間の腕、脚の回転運動は関節と関節の間の筋肉で行います。今回はリラックスした直立の姿勢を基本としていますので、ひじは後ろ、親指が前を向いている状態にします。つまりひじから手首にかけてねじれた状態になります。

両腕を比較して長さや太さ、筋肉のバランスを調整します。まず長さを比較します。

左腕の方が長くなっています。鉛筆で印をつけて、余分な長さをノコギリで切断します。

7 太さのバランスもチェックして、鉛筆で描きます。

8 カッターなどで削りながら太さを調整します。

スチロール芯が出てきたとき

ナイフやヤスリで削って成形している段階で、スチロールが出てしまう場合があります。また、粘土の表面を指先で押して凹むのは粘土の厚みが薄すぎる箇所です。こういう所はスチロールを多めに削って粘土を付け直してください。

1 スチロール芯を削ります。

2 粘土を付け直します。

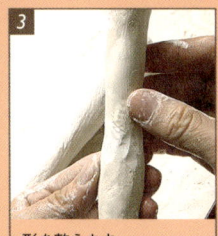

3 形を整えます。

2» 脚の造形
model legs

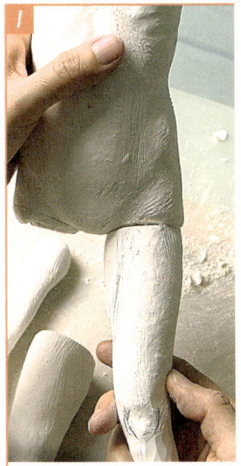

1 脚も腕と同じようにボディと合わせて、バランスを見て調整していきます。

2 腰から大腿部にかけての太さをチェックしてください。

3 次に両脚の長さと太さを比較して調整します。

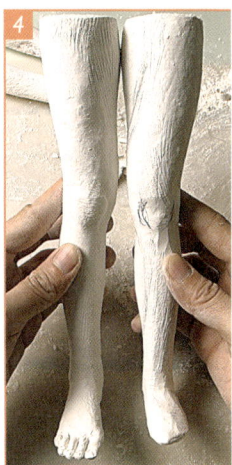

4 正面からも両脚を比較し、ひざの位置を確認します。

5 脚の付け根部分の太さも同じになっているか見落とさないようチェックします。

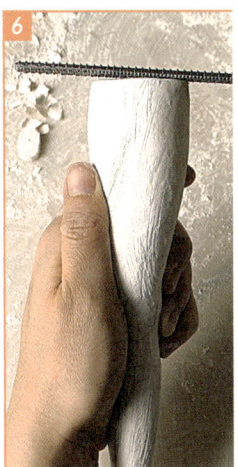

6 付け根部分の太さを削って調整します。

POINT ひざ下のスネ部分を長めに設定するとスラリとした伸びやかな印象になります。

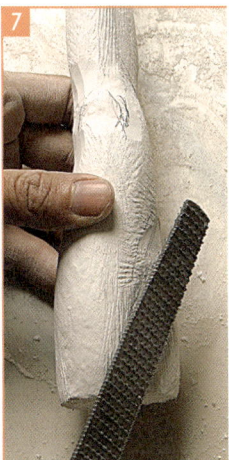

7 大腿部内側を縫工筋のラインに沿って削ります。

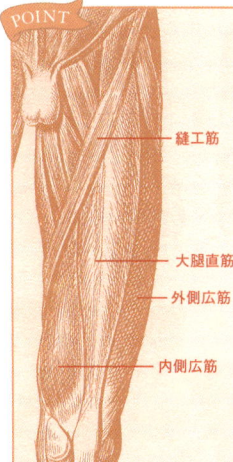

POINT 正面から見て大腿部内側とひざ周りのラインは、左右両脚の違いを出すのに重要です。

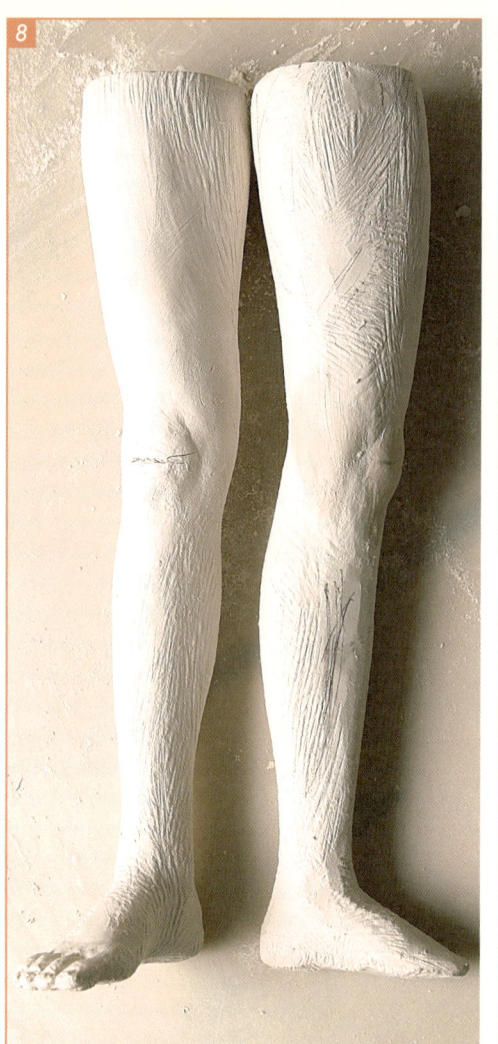

ふくらはぎ内側の上部分を鬼目ヤスリ、カッターなどで削ります。

同様に、ひざの下部分も削ります。

ひざの内側は張り出し、外側はへこんで見えているかチェックします。ふくらはぎの外側、内側のラインの違いにも注意してください。

横から見てひざが出すぎないように気をつけましょう。ひざから大腿部にかけて自然な盛り上がりになるようにしてください。

Advice

関節は筋肉と筋肉が交差する「筋肉の交差点」です。球関節を後からつけますが、まずは関節をしっかり造形してください。複雑ですが筋肉とその構造を理解すると造形が楽になります。

筋肉の構造

腕・脚の筋肉は複雑です。できるだけ筋肉の流れを意識して作りましょう。三角筋の下前側の上腕二頭筋、後ろ側の上腕三頭筋、そしてひじから下にかけて腕橈骨筋、長橈側手根伸筋、橈側手根屈筋、尺側手根屈筋など複雑な筋肉を意識して作るわけですが、最初から把握しきれるものではありません。また、腕に限らずあまり筋肉を強調しすぎるとたくましい格闘家のような身体になってしまいます。まず裸体の写真や人体デッサンの教本等を参考にしてください。

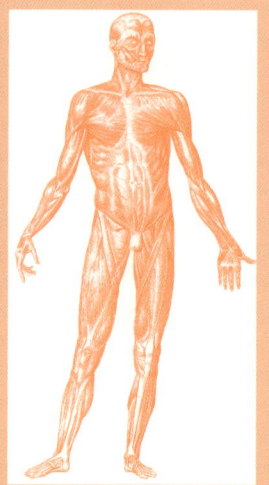
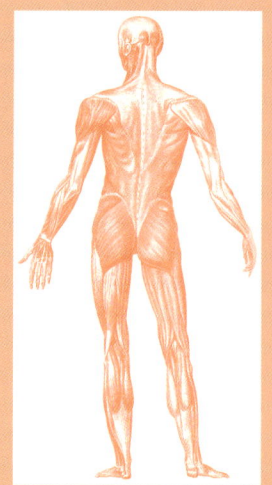

II 造形

§4 手足をつくる

Make hands & feet

1. 手の芯をつくる　**2.** 手の芯に粘土をつける　**3.** 足の造形

手足は顔に次いで表情の出しやすい部分です。アンティークドールで歴史に残る銘品は、顔と同様に手足もしっかりした造形となっています。手の指は破損しやすい部分なので、ワイヤーを芯にして造形します。足の指は、指の間隔を開かなくても作ることができます。そのため破損しにくいので、ワイヤーを入れずに粘土とスチロール芯だけで作ります。手足、特に指の造形は繊細な作業で根気が必要ですが、衣装を着せれば顔の次に目に映る部分です。時間をかけてじっくりと作りましょう。

† 用意するもの
- アルミコーティングワイヤー（直径1.5mm、大型人形はより太いもの）
- ペンチ
- 脱脂綿
- 木工用ボンド
- 瞬間接着剤
- 糸（刺繍糸、木綿の8番など）
- ヤスリ
- 粘土べら、竹べら
- 筆
- 粘土、水

1 » 手の芯をつくる
make cores of hands

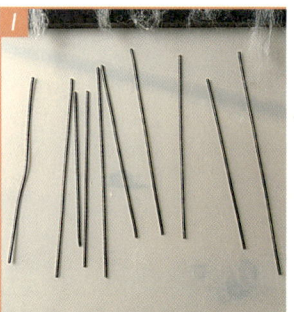

1 アルミワイヤーを顔面タテの1.5倍程度の長さで10本カットします。

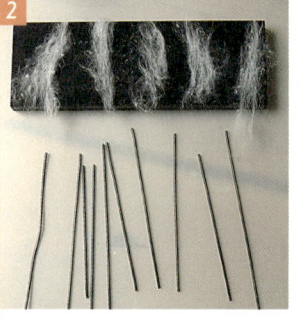

2 あらかじめ脱脂綿を本数分、薄く伸ばして準備しておきます。

3 ワイヤーが曲がっているときは、板などの平らな物の下で転がしてまっすぐに整えます。

4 このワイヤーに脱脂綿を巻きつけるため、薄く木工用ボンドを付けます。

5 ボンドを付けたワイヤーに脱脂綿を少量、薄く巻きつけます。

6 ワイヤーをくるくる回転させながら脱脂綿を巻き付けていきます。

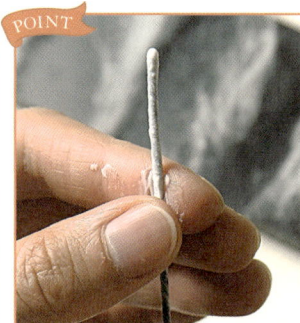

POINT これは粘土を付けやすくするための下地となります。厚く巻きすぎないように注意してください。

手の芯

ワイヤーの太さは人形の大きさに合わせます。大きな人形は更に太い物にしましょう。ステンレスワイヤーでもよいです。鉄の針金は数年経過すると粘土の表面に茶色く錆びが浮いて出てくるので避けてください。極小の人形や布張の人形の手を作るときは、粘土を使用せず脱脂綿を指の太さまで厚くして造形することもあります。

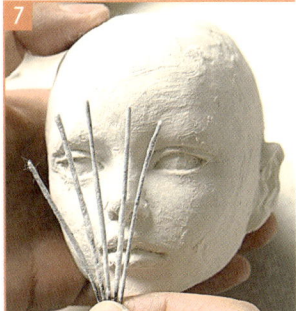

7 手の大きさを決めます。

手の大きさ

手の大きさは顔面と比較して、手首から中指の先端までの長さが、アゴからオデコまでの長さ程度になります。年齢や個人差、イメージにもよりますが、幼児の場合や可愛らしい人形は小さめに、大人の人形、あるいは力強さや迫力を強調したい場合は大きめにしてください。

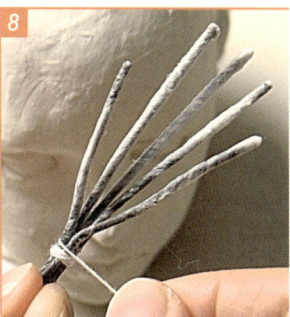

8 指の長さのバランスを調整し、手首の位置を糸でしっかり結び止めます。

9 糸は強い方がよいですが、太すぎないようにしてください。結び目に瞬間接着剤を浸透させ、補強します。

10 改めて見て、指の長さのバランスが悪い場合は、先端をニッパーなどでカットして調整します。これで芯の完成です。

2» 手の芯に粘土をつける
wrap hand's cores in clay

1 まず手のひらを作ります。芯に木工用ボンドを薄く付けて粘土を付けやすくします。

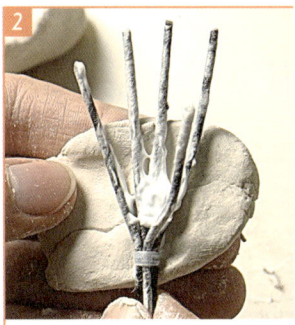

2 手のひらに、粘土を巻いていきます。

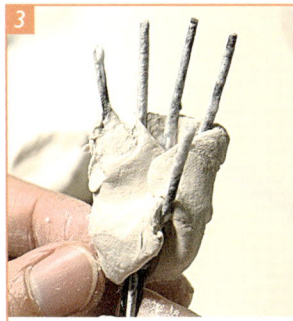

3 手のひらの形を整えます。四角い手のひらにならないように注意してください。

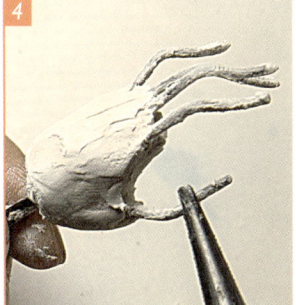

4 指の芯に表情をつけます。指の動く方向と指の関節の位置を見極め、細いペンチで指に動きをつけてください。

指の表情

まっすぐな直線の指だと硬く強ばった表情になりますので、動きがあった方が良いと思います。自分の手を人形の手と同じ表情にしてみると、力の入った表情かリラックスした表情かが解ると思います。骨折しているようなありえない動きになっていることもあるので注意して見ましょう。

5 腕につなげて、手のひらの厚みを確認します。大きすぎたり薄すぎたりしないように、よくバランスを見極めましょう。

POINT 親指は他の指と付け根の位置が違います。手首から指の付け根の長さは小指側が人差し指側より短くなります。

6 指を包むために、粘土を平らにします。このとき、指の先端側が薄くなるように伸ばすと綺麗に仕上げやすくなります。

7 指の芯にボンドを付けます。

II 造形

8

指の腹側から粘土を1本ずつ巻きつけていきます。

9

粘土を巻き付けたら、指の関節を意識しながらヘラや筆を使って細かな造形をします。

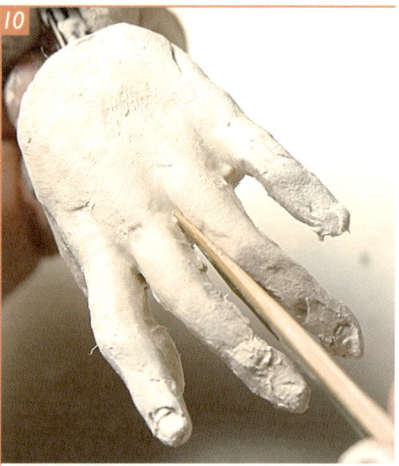

10

5本の指に粘土を付けて、関節などが造形できたら、全体のバランス、表情を再度チェックして下さい。

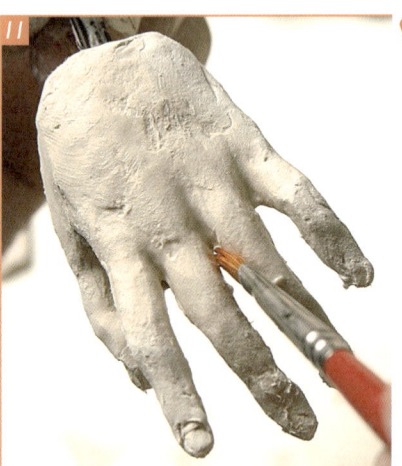

11

筆やヘラを使ってバランスを調整していきます。できる範囲で作り込みましょう。

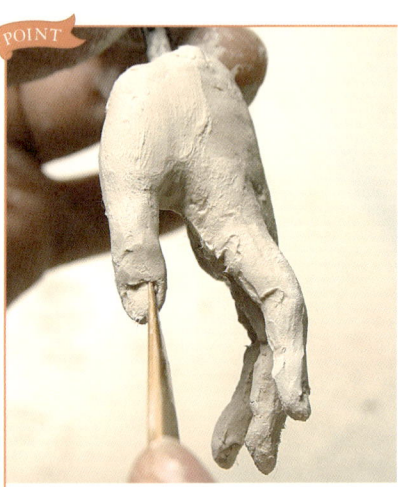

POINT

小さい手の指先や爪で、粘土が柔らかい状態では作りにくい場合は、乾燥後にナイフで彫刻したり粘土を付け足したりして造形してください。

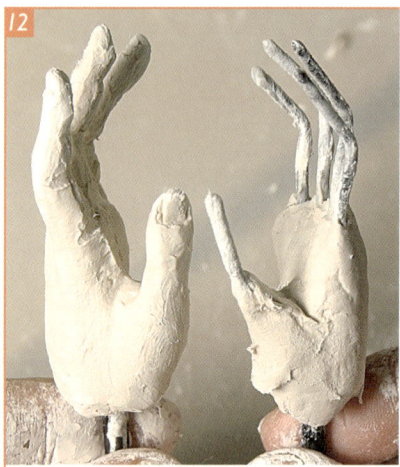

12

もう一方の手も、並べて比較しながら同じ要領で作りましょう。

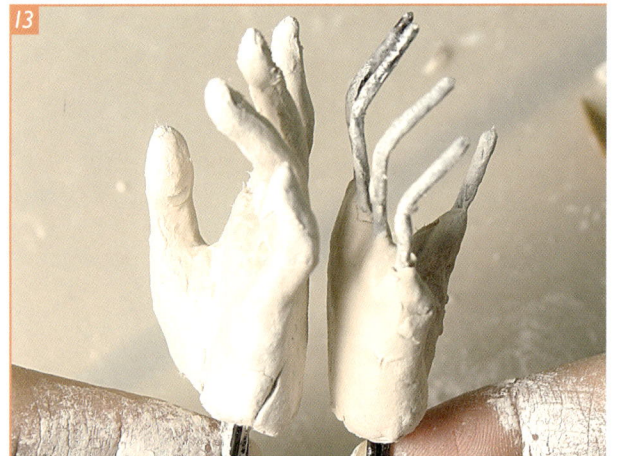

13

側面を比較します。

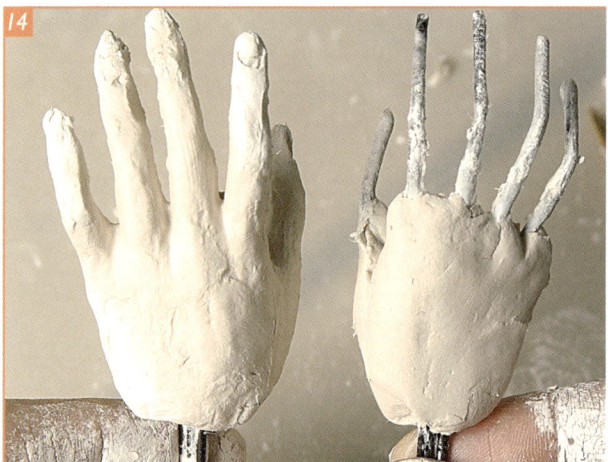

14

手の甲を比較します。いろいろな角度から比べながらもう片方の手を完成させます。

3» 足の造形
model feet

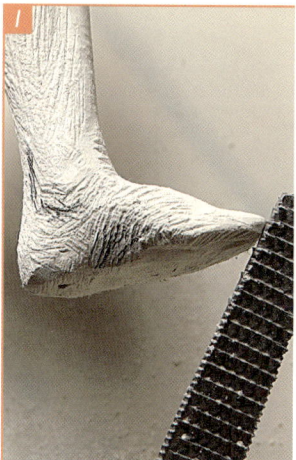

1 粘土で足のおおまかな土台を作り、それが乾燥したら、鬼目ヤスリなどの粗い金属ヤスリで成形します。

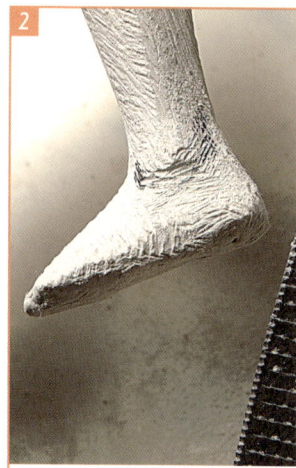

2 くるぶし、アキレス腱、土踏まず、かかとなどを鉛筆で描き、その部分を粗い金属ヤスリで整えていきます。

3 粘土を付ける部分を筆を使って水で濡らしましょう。

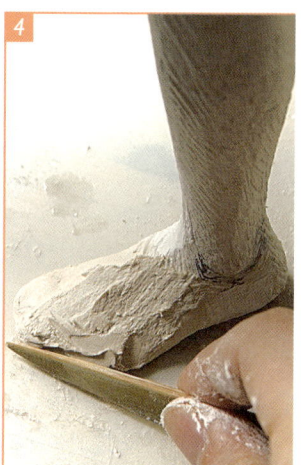

4 柔らかく練った粘土を付けます。

手足の大きさ

手と比較した場合、足の指の長さ分、足が大きくなります。設定年齢やイメージで決めてください。手と同じように個体差もあります。手が大きい場合は足も大きい方がバランスがとれます。

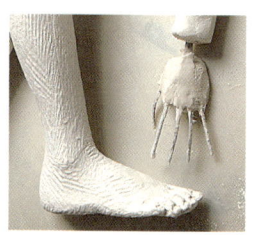

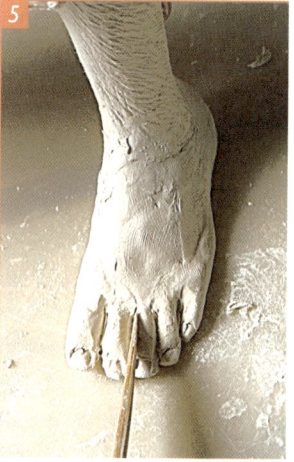

5 指のバランスを考えながら、ヘラでそれぞれの指を造形します。1本ずつの指が分かれて見えるように作りましょう。

6 足の裏も同様に、1本ずつの指が分かれて見えるように造形していきます。

7 指の関節や指の柔らかい丸みは、濡らした筆を使って表現しましょう。

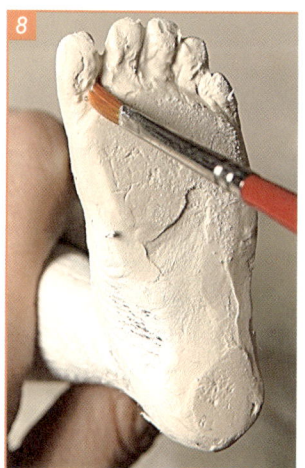

8 足の裏も、関節や丸みを濡らした筆で造形します。

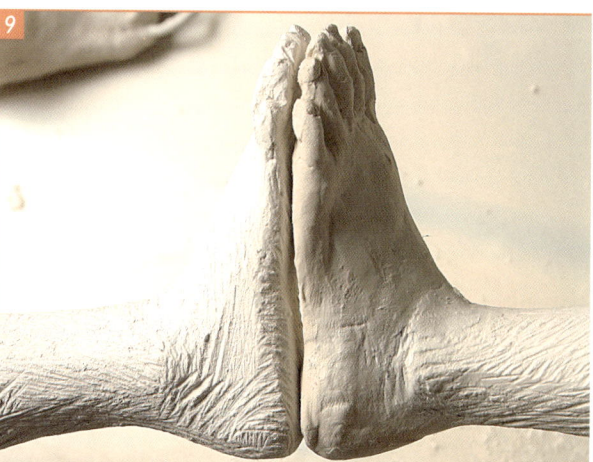

9 手と同様に、足も両足を比較してもう片方の足を造形しましょう。

II 造形

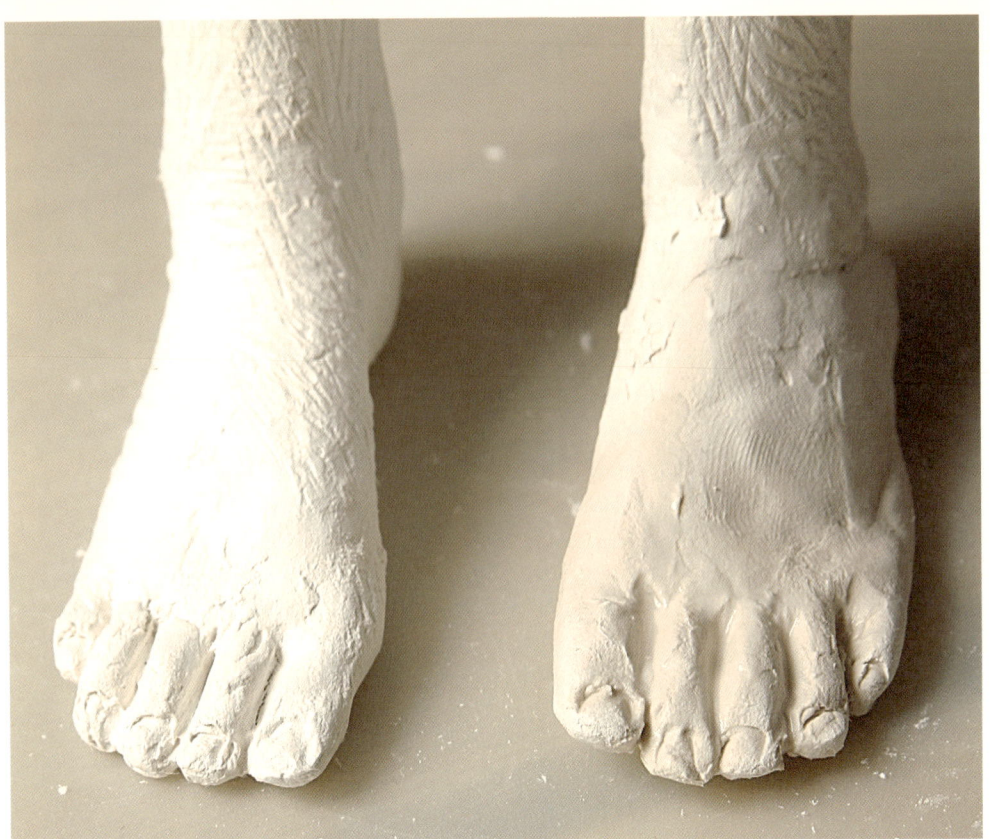

Advice

足の甲は親指の骨のラインの延長の、体の内側を高く外側を低くします。上から見て、かかとより足の先側は広く、指の付け根は小指側が下がるようになど、自分の手足の特徴をよく観察し、立ったときの接地面も意識して形状や大きさが不自然にならないよう心がけましょう。こまめに左右を見比べることも大切です。

上級編：足に芯を入れる

人形によっては、足の指を1本ずつ分けて造形する場合もあります。その場合は全ての足の指に、手と同様にワイヤーの芯を入れて破損しないようにしましょう。手の指の作り方の工程を参考にしてください。まず、足の指先からかかとまでの2倍の長さのワイヤーを用意します。

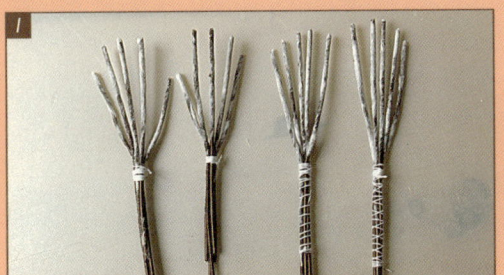

1　脱脂綿を巻き、糸で土踏まずのあたりから縛ってまとめます。右側の2本が足、左2本が手の芯です。足の指のバランスは手に比べて平坦になるため、ワイヤーを親指から小指側へ順次短く並べていきます。

2　まとめたワイヤーを、かかとの内側になる位置で曲げます。

3　曲げたワイヤーを指の付け根より短い位置でカットします。

4　ワイヤーは粘土を盛ったとき、甲の内側に収まるように、足の厚みに注意して曲げてください。

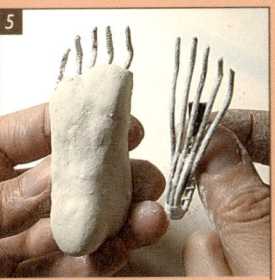

5　手と同様、ワイヤーにボンドを塗って粘土で包み、足の裏・甲を作ります。

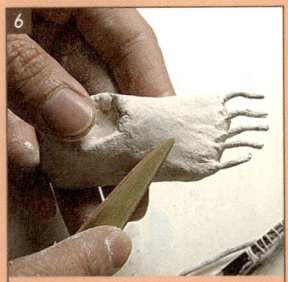

6　足の甲も基本的な作り方と同様に作っていきます。

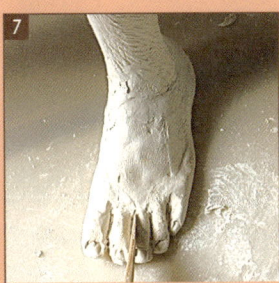

7　足の指も手と同様に、ワイヤーにボンドを塗って、平らに伸ばした粘土を足の裏側から巻いて造形します。

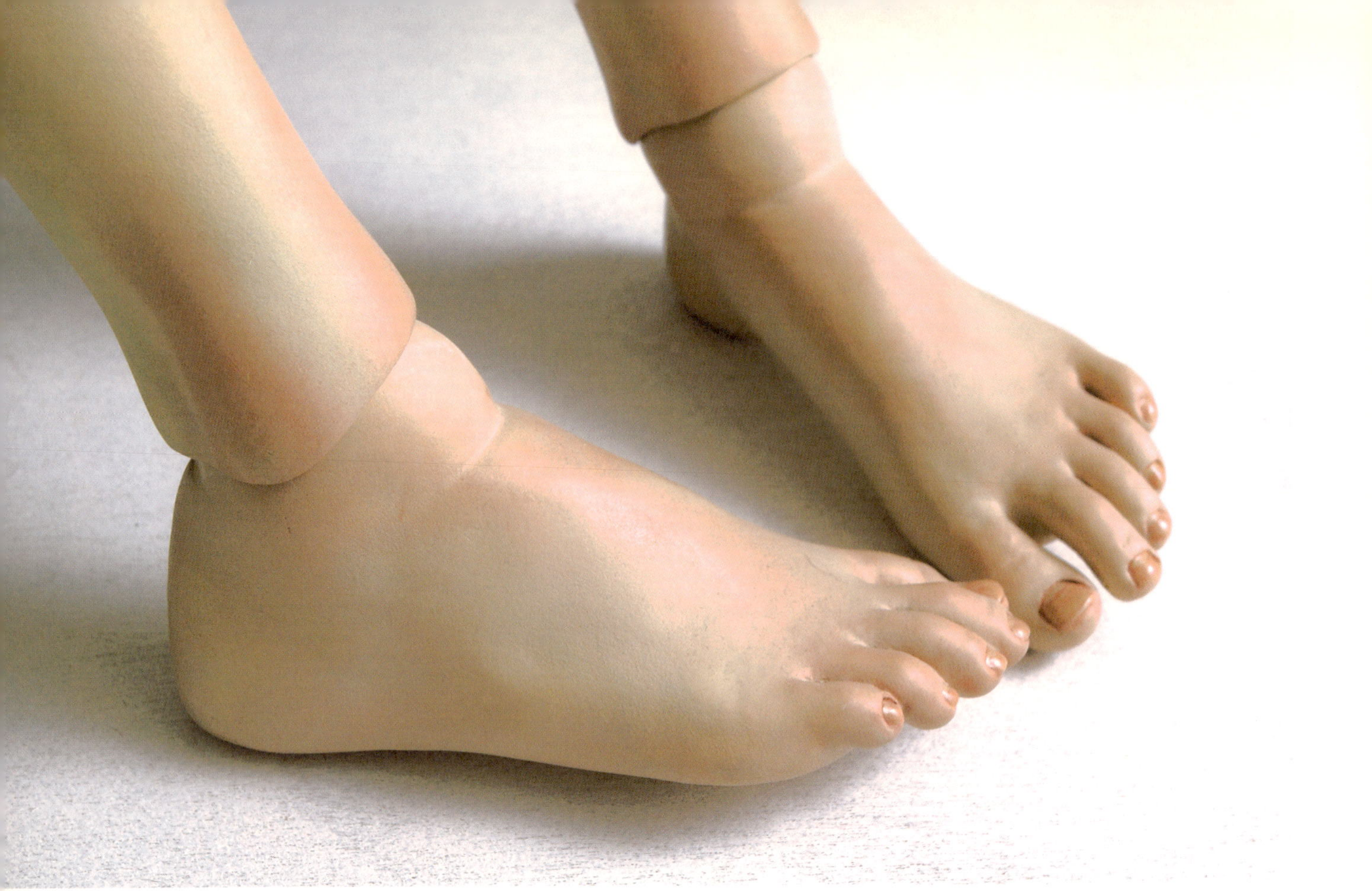

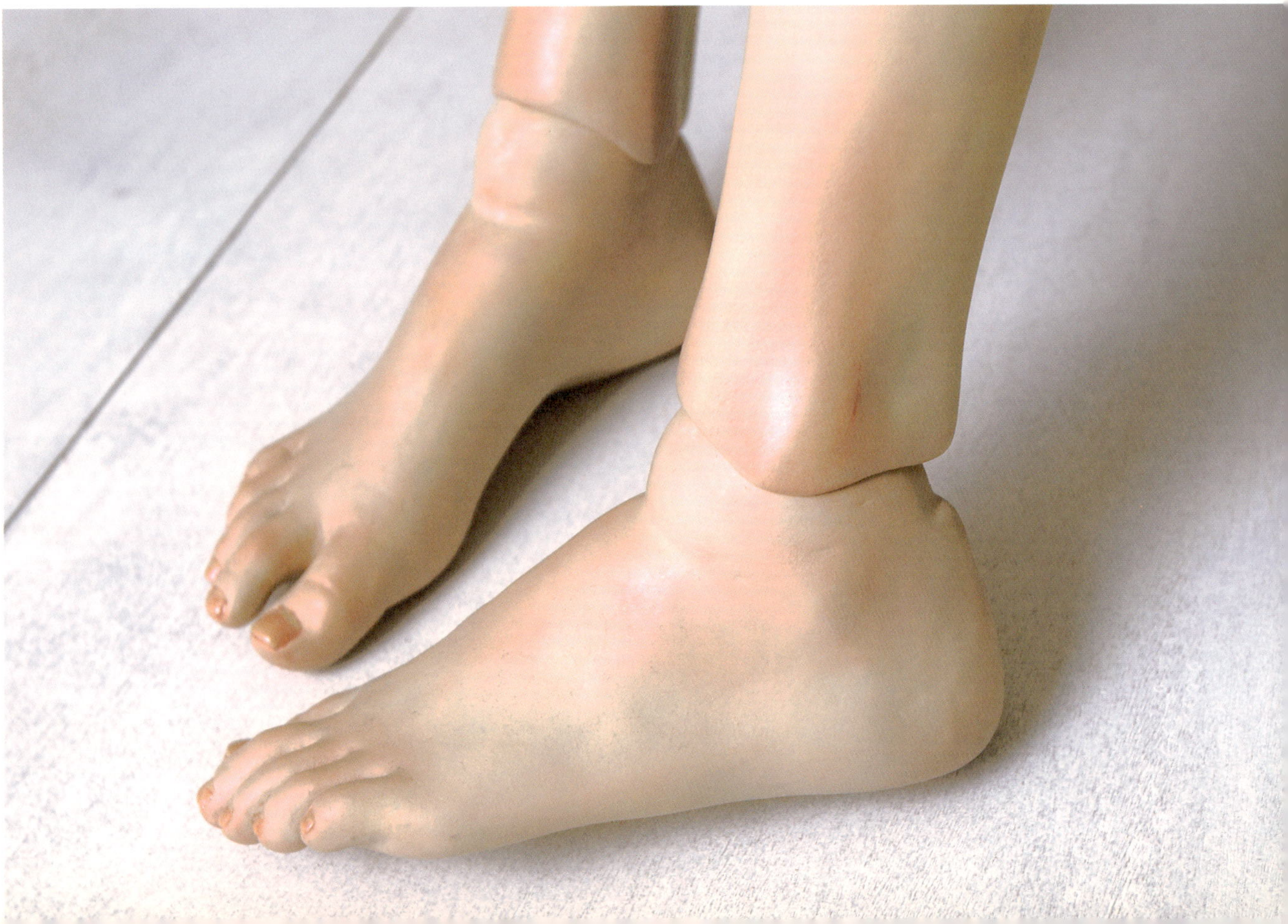

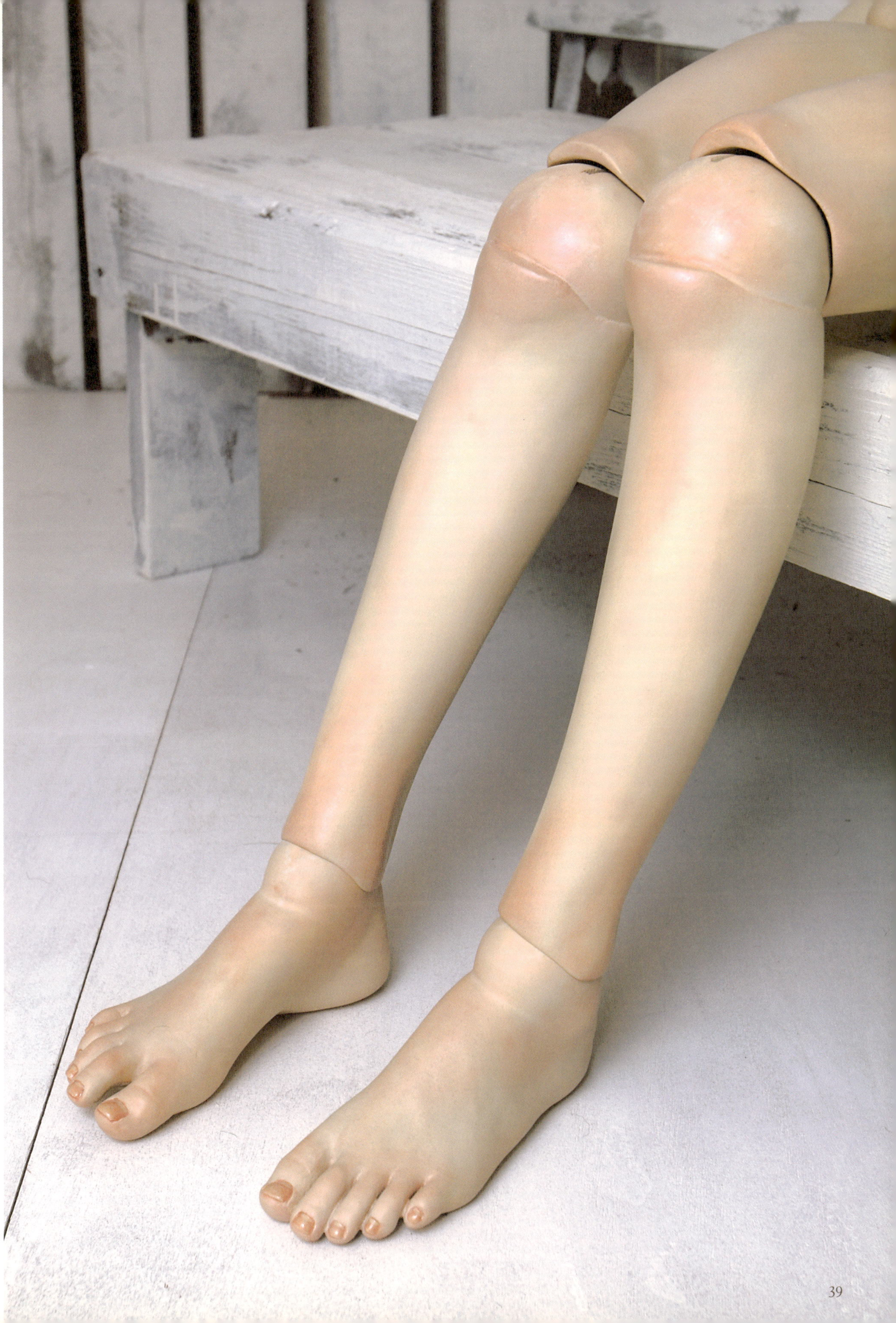

§5 サンディング

Sanding

金属ヤスリ　スポンジヤスリ　紙ヤスリ

人形の身体各部の粘土造形は、サンディング作業と並行して進めていきます。粘土造形で表面をきれいに整えてはいても、乾燥後のサンディングによる造形調整は不可欠となります。サンディングは単に表面を磨き上げるだけではなく、削りながらの造形作業です。ヤスリで削り磨くことによって、よりメリハリのきいた形になってきます。すでに紙ヤスリで磨きました、という方もいらっしゃるかと思いますが…、もう一度よく見直してみましょう。

†用意するもの

金属ヤスリ
・木工用の鬼目ヤスリ（甲丸型）
・金属研磨用の細目ヤスリ（甲丸型など）

スポンジヤスリ
・ミディアム（#120〜#180）
・ファイン（#240〜#320）

紙ヤスリ
・#80 ・#120 ・#240

サンディング
sanding

1 比較的単純な面を磨くときは、まず鬼目ヤスリなどの荒目の金属ヤスリを使用します。

2 表面のデコボコを落とします。

3 荒目のヤスリを使うと手早く表面をなめらかにできます。

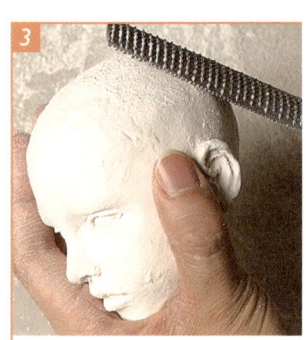

磨きの手順

必ず荒目のヤスリでならしてから磨きましょう。この最初の磨きを省略して、いきなり細かな紙ヤスリで磨き始めると、デコボコがなくならないまま波打った状態で表面がつるつるになってしまいます。再度荒いヤスリで磨き直すことになり手間がかさみます。

4 荒目のヤスリではすり傷が残ります。

5 このヤスリの傷をより細かな紙ヤスリ（#120）やスポンジヤスリを使って整えましょう。

Advice

荒目のヤスリは、造形するつもりで使いましょう。磨いたら粉塵を掃除機で吸ったり、濡れた布でふき取ったりすると表面の傷や磨き残しが発見しやすくなります。

金属ヤスリ

金属ヤスリの細い物は磨く部分の形状に合わせて使い分けできますので、数種類セットになった物を購入するとよいでしょう。細目のタイプは細かい部分に便利です。ただし、目が細かいのでワイヤーブラシ等で頻繁に手入れをしながら使用しないと目詰まりしやすくなります。大まかな形出しなどの切削には、刃がポツポツと尖っている鬼目ヤスリが最適です。

木工用鬼目ヤスリ（甲丸型）
木工用鬼目ヤスリ（棒型）
金属研磨用細目ヤスリ（甲丸型）

細目金属ヤスリ（甲丸型）の使用例

スポンジヤスリ

体の柔らかい肉感を表現するにはスポンジヤスリがお薦めです。単に面で磨くだけではなく、ヤスリの角を使ったり、二つに折って丸くしたりして使いましょう。手に柔らかく、耐久性も高い、とても使い勝手のよいヤスリです。

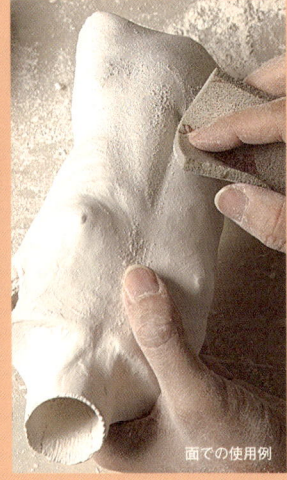

面での使用例
二つ折りでの使用例 

紙ヤスリ

顔、手、足などの繊細な部分を磨くときには紙ヤスリが便利です。磨きたい部分の形状に合わせてカットしたり、折って角で使ったり、つまようじに巻きつけたり板に貼り付けて面で使ったり…、いろいろと工夫して使いましょう。ただし、磨きすぎて微妙な表情をなくさないように注意してください。

1 紙ヤスリを小さくカットして折ります。
2 先を尖らせます。 
3 細かい部分に使用しましょう。 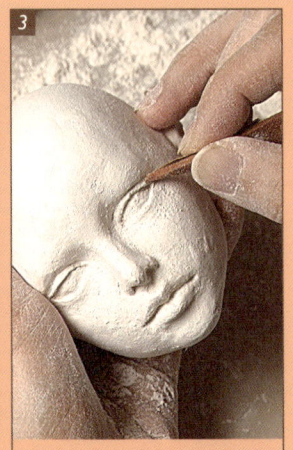

II 造形

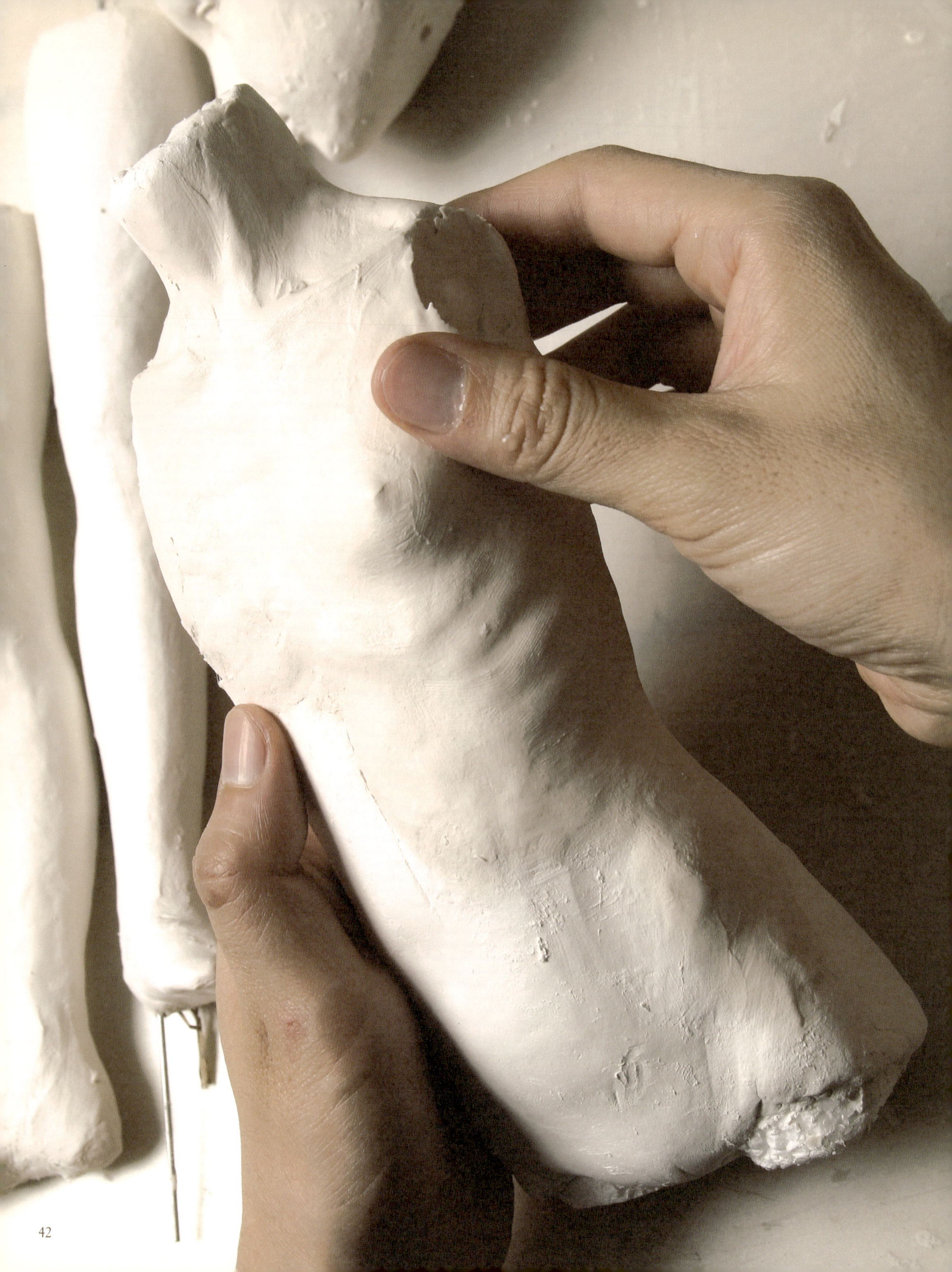

Chapter III

関節
Joints

§1 関節の球をつくる

Make ball joints

1. 関節部の設定・切断 　2. 球の受けの準備 　3. 球をつくる 　4. 手首・足首の球

人形の関節に対する考えや方法はいろいろあり、歴史的にも多様な関節を持った人形が存在しました。日本には「三つ折れ人形」という江戸時代より作られている独特の関節をもった人形があります。球体関節の人形は18世紀のヨーロッパでビスクヘッドのボディに応用されて以降、現代に至るまで多様な素材で作り続けられています。今回制作するのは、首・肩・ひじ・手首・股・ひざ・足首からなる、13の球体関節を持つ人形となります。首・肩・ひじ・ひざ・股関節の球にはスチロール球の芯を入れますが、手首・足首の関節は芯を入れずに粘土だけで球を作ります。手首・足首の球には、ワイヤーを埋め込むための粘土の厚みが必要だからです。

†用意するもの
- スチロール球
- 筆記用具
- ノコギリ
- ナイフ、彫刻刀
- ニッパー
- 鬼目ヤスリ、ヤスリ
- 粘土べら、竹べら
- 粘土、水

1» 関節部の設定・切断
set up & cut the joints

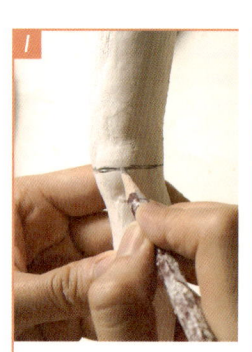

1 ひざ・足首・ひじの関節の中心を切断していきます。

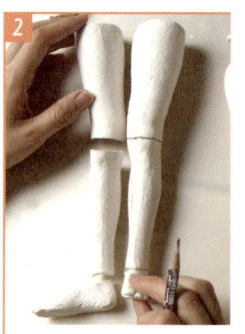

2 各パーツの左右の長さが揃うようにカットラインを鉛筆でマーキングします。

3 ひざはひざの中心。

4 足首はくるぶしの中心。

5 ひじはひじの中心で切断します。

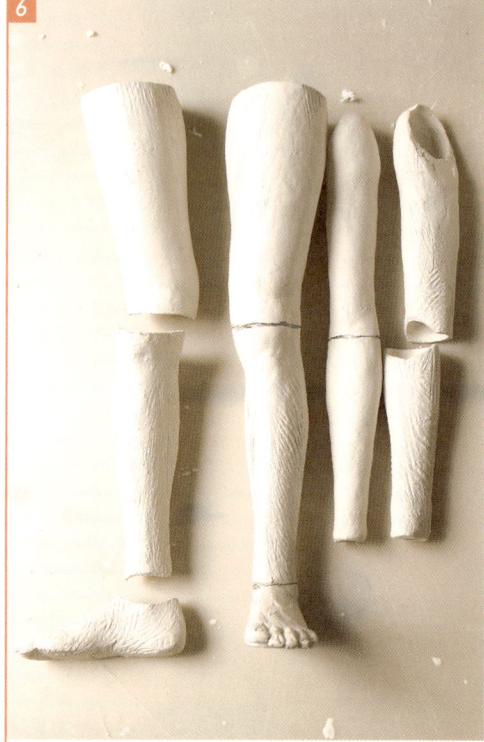

6 片側が切断された状態です。もう片方も切断しましょう。

球の大きさを決める

球の大きさは、関節周りのラインを作る上でとても重要です。球が大きく受けが小さい（球の見える範囲が大きい）方が可動範囲は広くなります。「球を身体のラインに沿わせる」ときは、球をギリギリに大きく使う方法（今回は股・足首・肩・手首の関節）をとり、「球を身体の内側に収める」ときは、少し小さめに使う方法（今回はひじ・ひざの関節）をとります。今回は教材という意味で両方のタイプを混在させていますが、慣れてきたらいろいろと工夫し、作りたいイメージで関節の大きさを選びましょう。

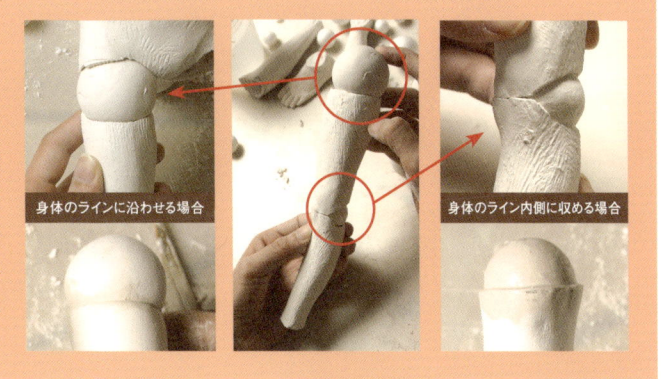

身体のラインに沿わせる場合
身体のライン内側に収める場合

2» 球の受けの準備
prepare saucers

1 ひじ・ひざは、パーツの長さを変えずに球を設定したいと思います。その場合、ひじ・ひざの断面の直径より少し小さめの球にします。（球は次の工程で作ることになります）

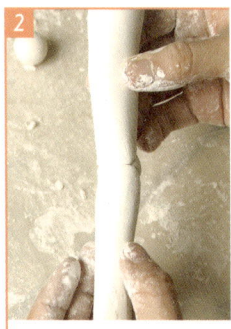

2 つまり、「球を身体のライン内側に収める」タイプの関節球を設定するということです。

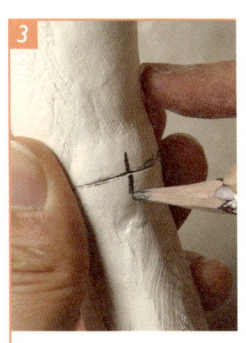

3 まず、ひざ小僧の中心に鉛筆でマークをつけます。ひじも同様に作業します。

4 切断面にひざ小僧の中心に合わせた線を書きます。
ひざ分の厚み

中心線の位置
最低限確保する必要のある2mm程度の厚み分と、ひざ小僧の厚み分を除いて、その1/2の位置を中心として円を書きます。この円の直径が球の直径となります。

5 後ろ側半分を斜めにカットするのでそのラインを描きます。大腿部側にも描きます。

8 実際に曲げてみて、おかしなところがないか確認します。ひじも同様に作業してください。動きが足りない場合は、関節の球がより多く見えるように削る角度を調整してください。

POINT このカットする角度がひざ・ひじが球関節で動く角度となります。

6 後ろ側半分までを、ラインに合わせて鬼目ヤスリなどで削ります。

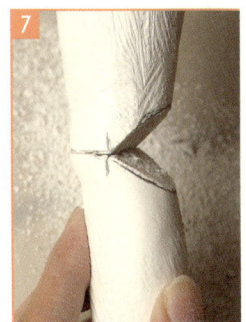

7 最初は上下45度ずつ、合わせて90度程度を動かせるように設定しましょう。

Ⅲ 関節

III
関節

9 次に芯材のスチロールを抜き取ります。空洞にして後からゴムを通すためです。

10 カッターや金属の荒目の棒ヤスリを使いましょう。

11 他のパーツの内側のスチロールも粉々にし、抜き取ります。

12 彫刻刀の丸刃で、ひざの切断面の前ひざ側を球が収まるよう曲面に合わせて削ります。

13 ひざ部分を削りました。肩、ひじ、股関節の球を収める場所も、全て同様に削りましょう。

14 球が収まる形状に、フチは最低限の厚みを保ちつつ、削って調整していきます。

フチの削り方

フチの部分は収める球のラインとパーツのラインがだいたい一体になるように調整します。収める球がガタガタせずに収まるよう整えましょう。図のようにフチが厚い状態から赤い部分を削ることで、球の曲面が安定して収まります。ただし、後から練った粘土で接着しますので、濡れたら破れるほど薄くしないようにしてください。光にかざしても透けないくらいの最低限の粘土の厚みは必要です。

3 » 球をつくる
make balls

1 既製品の発泡スチロール球を芯材とします。余ったスチロールから削り出しても構いません。

2 出来上がりの直径より小さいスチロール球を用意します。出来上がりの球の直径は部位により異なります。

3 ボディを作ったときと同じ要領で、粘土を平らに伸ばします。

4 伸ばした粘土でスチロール球を包んで丸くします。

5 各パーツとも、実際に球を固定する側の関節部分に収めながら微調整して、完全な球状に近付けていきます。

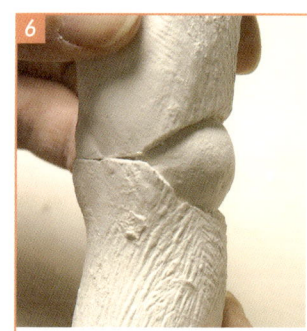

6 ひざ関節の球は前工程で削った内側に収まるようにします。

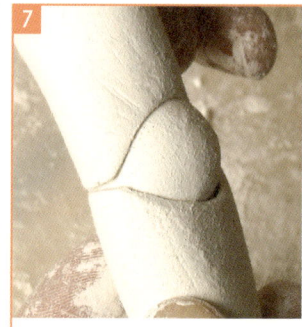

7 ひじ関節の球も同様に、削った内側に収まるようにします。

III 関節

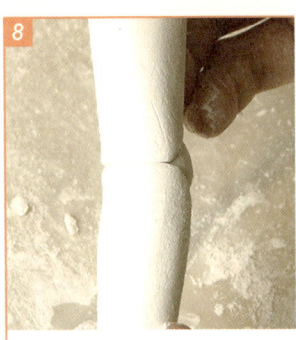

8 ひじの部分です。球が隠れるようにします。

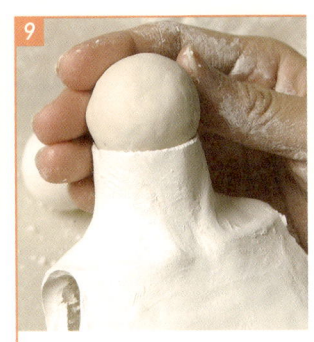

9 首は、首の断面より少し大きめの球を作ります。

10 股は球が身体のラインに沿うように、大腿部の断面の一番太い部分を直径とした球を作ります。

11 肩も股と同様、断面の一番太い部分を直径とした球で、身体のラインに沿うようにします。

4» 手首・足首の球
balls of wrists & ankles

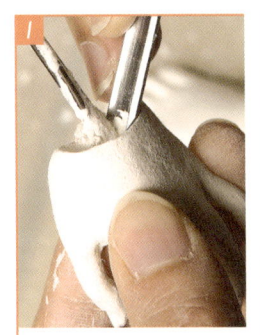

1 まず、手首のアルミ線の根元にある粘土を削ります。

2 ニッパー等でアルミ線をギリギリまでカットします。アルミ線を短くしておかないと、球の中にアルミ線が入り込んでしまい、後々の作業で邪魔になってしまいます。

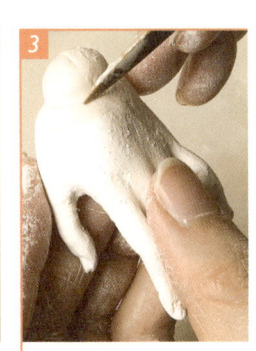

3 手首部分に柔らかい粘土を盛り付けて粘土だけで丸く半球状にします。

4 腕をあてて自然なラインになるように正面、側面からチェックして大きさを調整してください。半球上に粘土を盛るのが難しい場合は、足首と同じように粘土だけで球を作って付けてもよいです。

5 足首はヤスリでくるぶしの中心まで削ります。

6 彫刻刀の丸刃で内側のフチ周辺をえぐります。

7 粘土だけで球を作ります。

Advice
関節の中心は球の中心!! すべての関節で、できるだけ球の中心が関節の中心になるように設定しましょう。

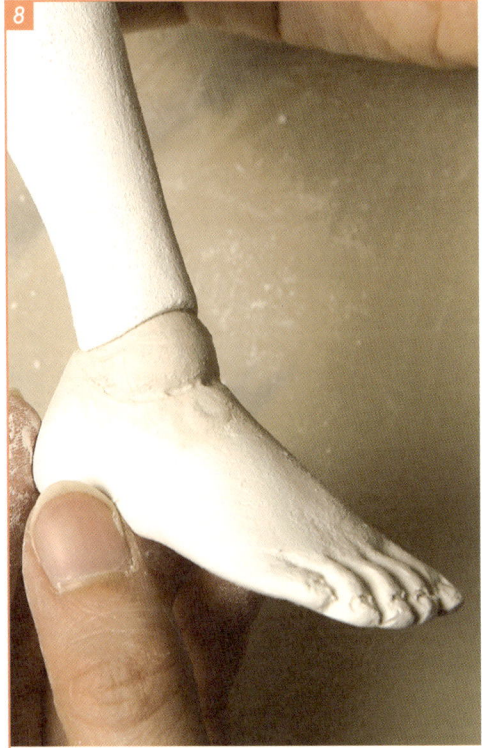

8 足首からのラインに注意して球の大きさを決めて、足に付けてください。

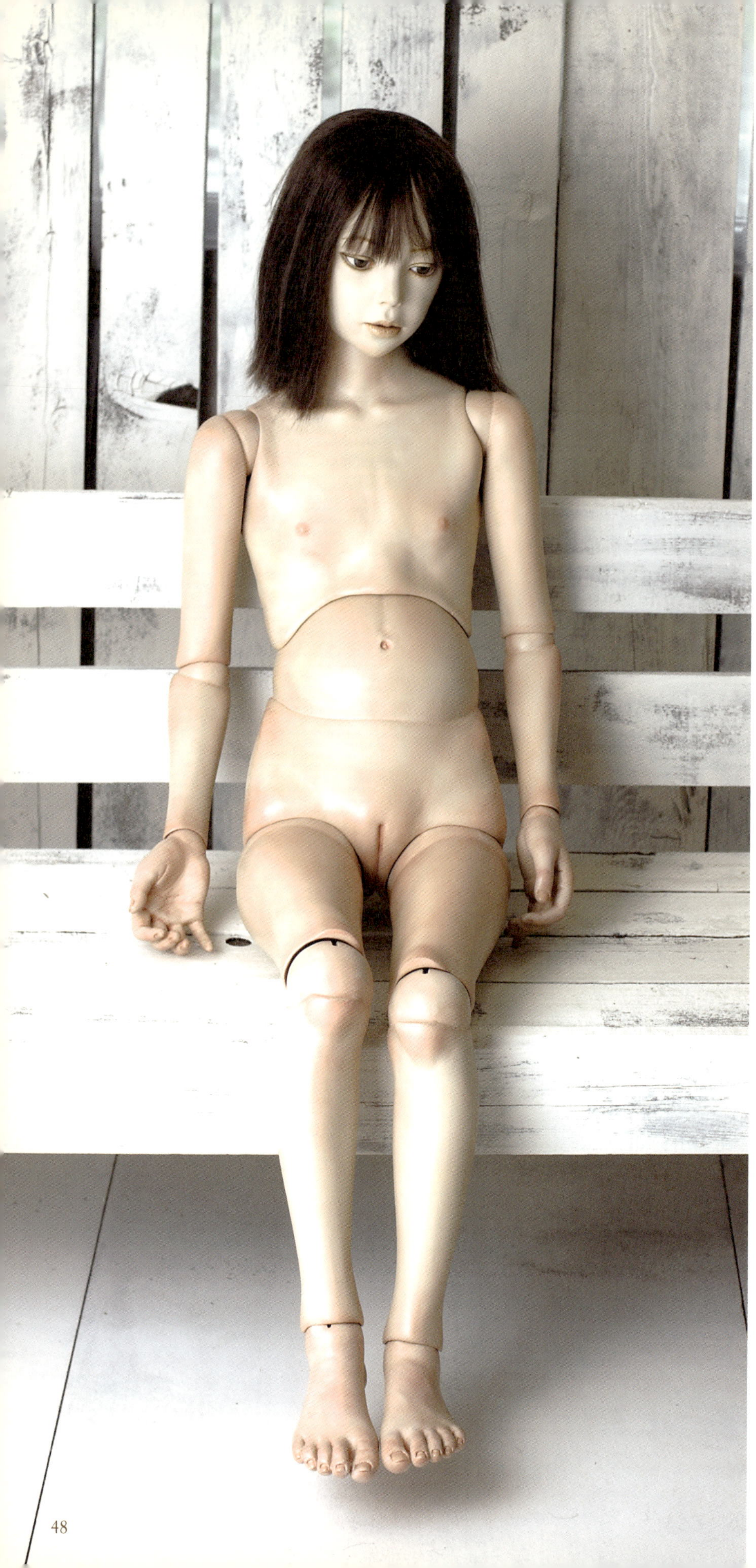

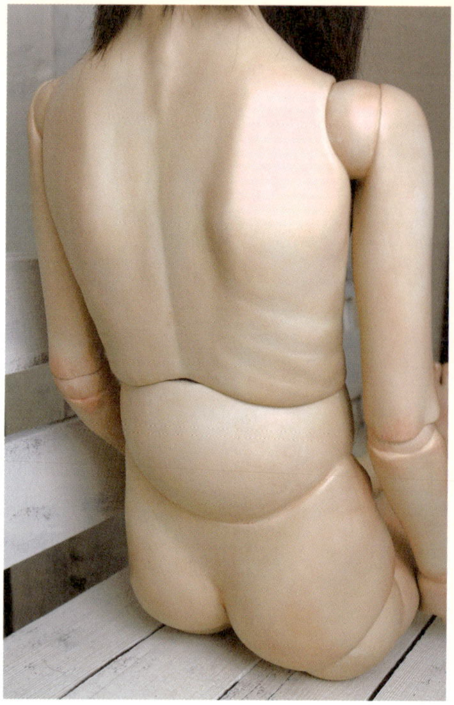

49

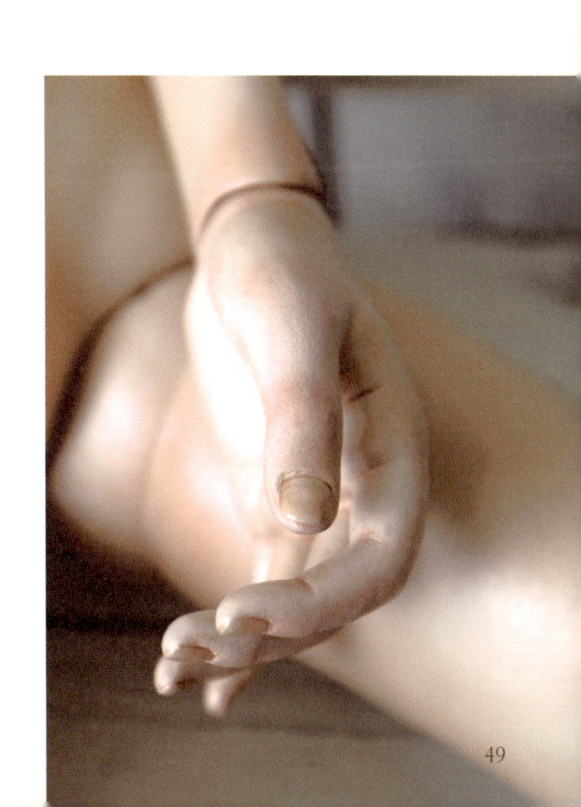

§2 球を固定する

Fix balls

1. 股関節の固定　　2. ひじ・ひざの固定　　3. 肩の固定

各関節部分の太さに合わせて関節部の球体を作りました。ここではそれぞれの球を関節の一方に固定します。関節の球は、固定されているタイプと、球をまったく固定せずに独立させているタイプがありますが、今回は基本的に下肢側に球を固定していきます。動きを重視する場合は、球を通るゴムの反発力を逃すために溝を開けたり穴を大きくしたりする必要があります。このときに球が固定されていないと球に開けた溝があらぬ方向に動いてしまうからです。全部で13ヵ所の関節がありますが、各パーツ基本的な方法は同じですので、要所を解説していきましょう。各関節の球の中心がどこにくるか意識して進めてください。股関節は股の位置に、ひじ・ひざは切断ラインに、肩は脇の下の腕と身体が当たる位置に球の中心線がくるようにしましょう。

†用意するもの
・彫刻刀
・竹べら
・筆記用具
・粘土、水

1》 股関節の固定
fix a hip joints

1. 大腿部に球をあてて、接合する位置を書きます。球の下側1/3程度が入るようにしましょう。 
2. 球の一部に穴を開けます。球を固定するのりしろを5mm程度確保してください。 
3. 彫刻刀の丸刃を使って、出来るだけ大きめの穴を開けましょう。 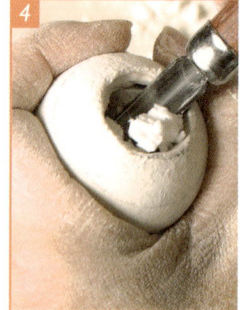
4. 中のスチロールを取り出します。 
5. 股関節の球を固定します。接着する大腿部を水で濡らし、柔らかく練った粘土を付けます。 
6. 股関節の球も水で濡らし、柔らかく練った粘土を付けます。 
7. こすり付けて圧着します。 
8. はみ出した粘土はヘラで綺麗に取り除いてください。 
9. 股関節の球を大腿部に固定できました。もう一方の股関節も同様に固定します。

2» ひじ・ひざの固定
fix elbow & knee joints

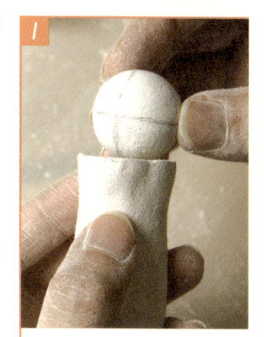

1 ひざは中心線の下側に球の1/2、上側に1/2がはまるように調整しましょう。

2 ひざの球の中心とひざの前側の切断部を合わせて接合位置をマーキングします。

3 のりしろをとって穴の位置を決め、球に穴を開けます。

4 中のスチロール芯を取り出します。

5 接合する部分に柔らかく練った粘土をこすり付けます。まず、ひざ下部分です。

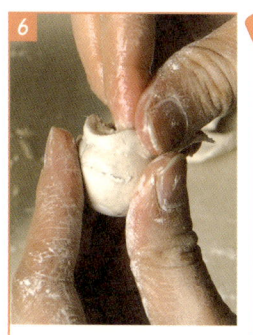

6 ひざの球にも粘土をこすり付け、再び、球の中心線をひざの中心に合わせて固定します。

POINT 球をできるだけひざの前側へ押し付けます。ひざ（膝蓋骨）が厚くなり過ぎないようにするためです。

7 はみだした粘土をヘラで取り除き整えます。

8 ひざ頭側もヘラではみ出した分を取り除きましょう。

9 以下、ひじの球の接合もひざと同様に、下側に固定しましょう。

3» 肩の固定
fix shoulder joints

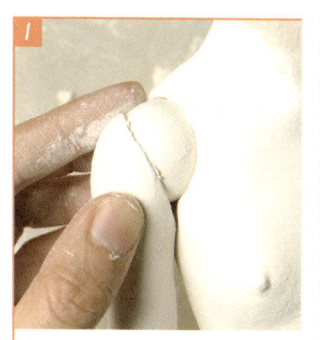

1 肩の球は、脇の下の腕と身体が当たる位置に球の中心線がきます。のりしろをとって穴の位置を決めます。

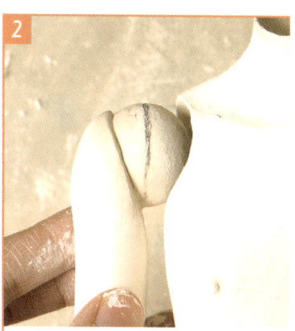

2 ここでも穴を開ける際には、先にマーキングして失敗がないようにしましょう。できるだけ大きな穴にしてください。

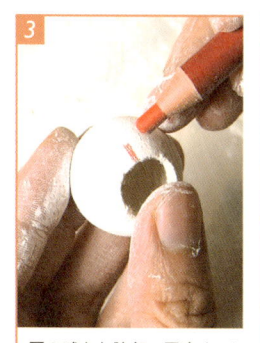

3 肩の球を上腕部に固定するときは、まず1ヵ所マーキングします。

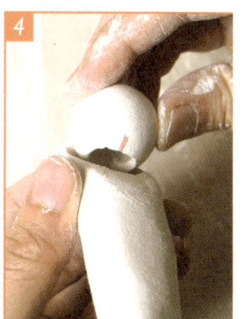

4 赤い印を下側に合わせて、ギリギリまで穴が下向きになるよう固定します。

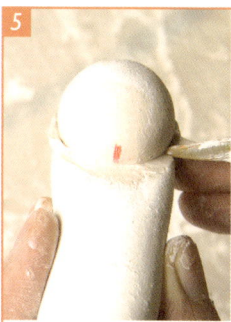

5 接合する部分に粘土をこすり付けて固定します。付け過ぎて穴を埋めないよう注意してください。

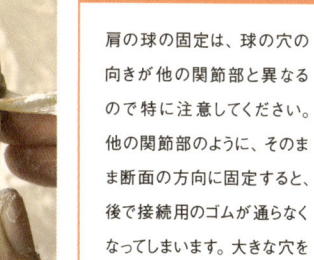

肩の球の穴

肩の球の固定は、球の穴の向きが他の関節部と異なるので特に注意してください。他の関節部のように、そのまま断面の方向に固定すると、後で接続用のゴムが通らなくなってしまいます。大きな穴をギリギリまで手首の方へ下向きに固定しましょう。

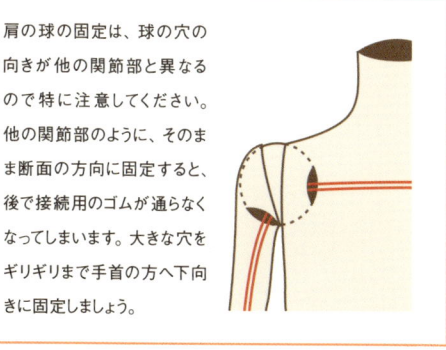

Ⅲ 関節

51

III 関節

§3　球の受けをつくる

Make joint's saucers

1. 合わせの調整　　2. 受けをつくる

股関節、ひじ・ひざ、肩の球が固定できたら、反対側の穴に球を支える受け皿を作ります。ここの作業で人形の安定具合が変わります。この受け皿がしっかりと出来ていないと関節部分がガタついて安定しません。人形を自立させるためにはとても重要な工程です。丁寧に確認していきましょう。

† 用意するもの
・鬼目ヤスリ、ヤスリ
・粘土べら、竹べら
・粘土、水

1» 合わせの調整 adjustment

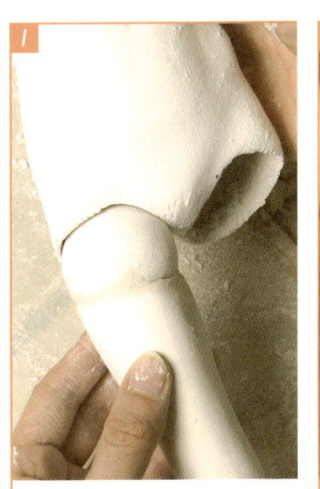

1 球の付いた各パーツを上肢部と合わせてみて隙間を確認します。

2 隙間があると関節がガタついて安定しないので、受け側の穴のきわの厚みをできるだけ薄く削りましょう。

3 肩部分を削っているところです。残っているスチロール芯材も取り除いてください。

4 股関節の受けの厚みを調整していきます。

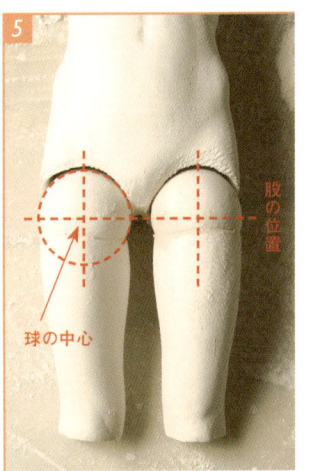

5 股関節はボディと合わせて、球の中心線が股の位置にくるように調整します。

穴と球の大きさ

股関節、足首・手首は穴と球の大きさに注意してください。左右の穴の大きさが違っていると大きい方の穴には球が深く入り小さい方には浅く入ることになりますので、左右の腕や脚の長さに影響します。特に股関節の場合は、左右の受けの大きさが違ってしまうと、立った状態、座った状態ともに身体が傾いてしまうことになります。股関節は股の位置の中心に、手首・足首はそれぞれくるぶしの中心に球の中心線がくるようにしましょう。

III
関節

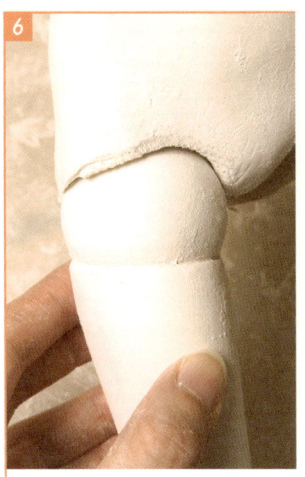

6 左右の穴の大きさをそろえていきます。正面から確認します。

7 後ろからも確認しましょう。不揃いの場合は粘土を足したり、P.46でしたようにフチを削ったりして調整します。

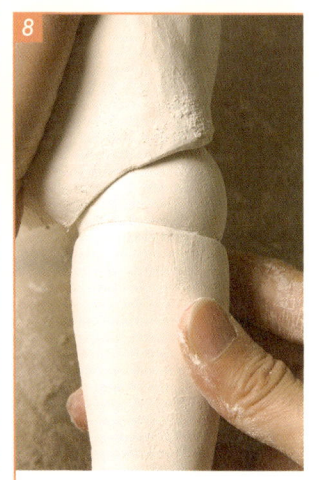

8 横からもチェックしてください。ひじ・ひざ、手首・足首の受けも同様に確認します。

2»

受けをつくる
make saucers

1 まず、ひざ部分の受けを作りましょう。大腿部側の穴に練った粘土を厚めに付けます。

2 ひざ下の球部分に水をつけます。ただし、球の接合部がきちんと乾燥して固定されていないといけません。

3 軸を中心に、左右に動かしながら球を押し付けます。

4 はみ出した粘土はヘラ等で取り除きましょう。

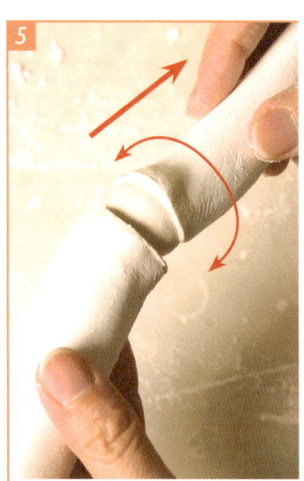

5 同じく軸を中心に左右に回転させるように動かしながら引き離します。

6 ちょっとコツが必要ですが慣れれば上手にできると思います。乾燥後、再度調整します。

～ Advice ～

関節の球部分にたっぷり水をつけ、動かしながら押し付けて、動かしながら引き離すと上手くできます。球の受け側は、粘土の縮みを考慮し、乾燥後に再度粘土を足して縮んだ分を埋める必要があります。ここも丁寧に進めてください。

53

III 関節

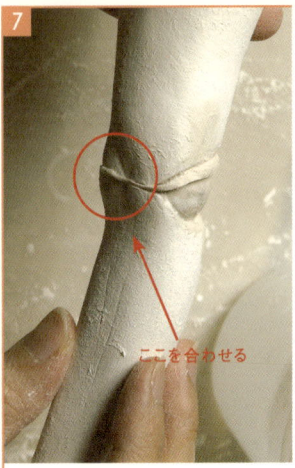

7 ひざの球が内側に入り、きちんと切断面が合わさった状態にしてください。

関節はまっすぐの状態で

ひざ・ひじの関節で受け皿を作るときは、あくまでひざ・ひじがまっすぐに伸びている状態で設定してください。脚なら直立している状態です。ひざ・ひじを曲げた状態で球を押し付けて受け皿を設定すると、まっすぐに伸ばしたときに隙間ができることがあります。特にひざ部分に隙間ができ、ガタついてしまうと人形が自立しない一番の原因となりますので注意してください。

8 ひざ関節の球の受けができました。同様にひじ関節の球の受けを作ってください。

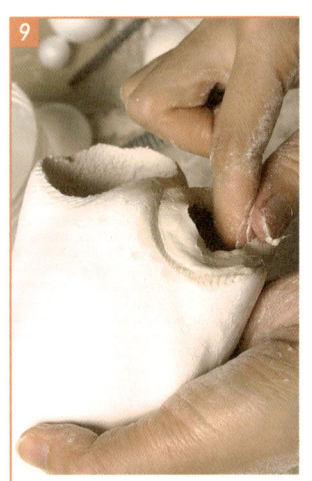

9 次に股関節です。ひざと同じように作っていきます。ボディ側の穴に練った粘土を厚めに付けましょう。

10 大腿部側の球部分に水をつけます。ただし、球の接合部がきちんと乾燥して固定されてからにしてください。

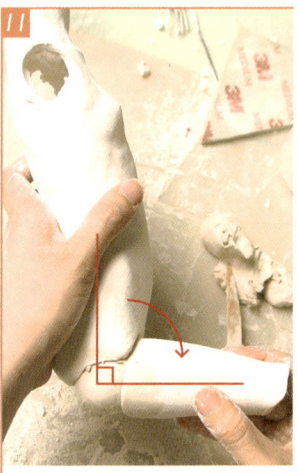

11 人形が自立して座るためには横から見たボディと大腿部の角度が90度以上になってはいけません。倒れてしまいます。

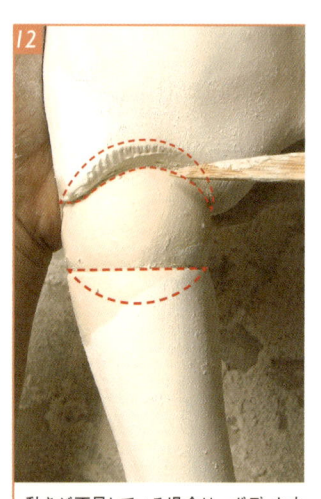

12 動きが不足している場合は、ボディと大腿部のあたる部分（写真の赤線部分）を削って動く角度を増やしてください。

13 股関節部分の球の受けができました。

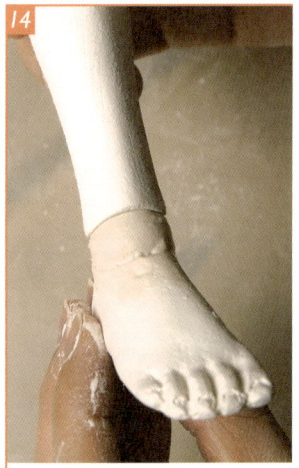

14 手首・足首の受けも同様に作ります。どちらも前側・後ろ側を少し削り込むことで見栄え良く可動範囲を確保できます。

15 肩の受けの場合も同様ですが、腕に固定した球をボディの肩側、つまり上側に押し付けるようにしてください。

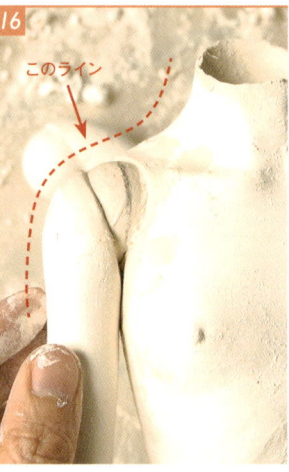

16 ボディ、球、腕に繋がるラインが段差なく自然な流れになるように調整します。脇に隙間ができないよう注意しましょう。

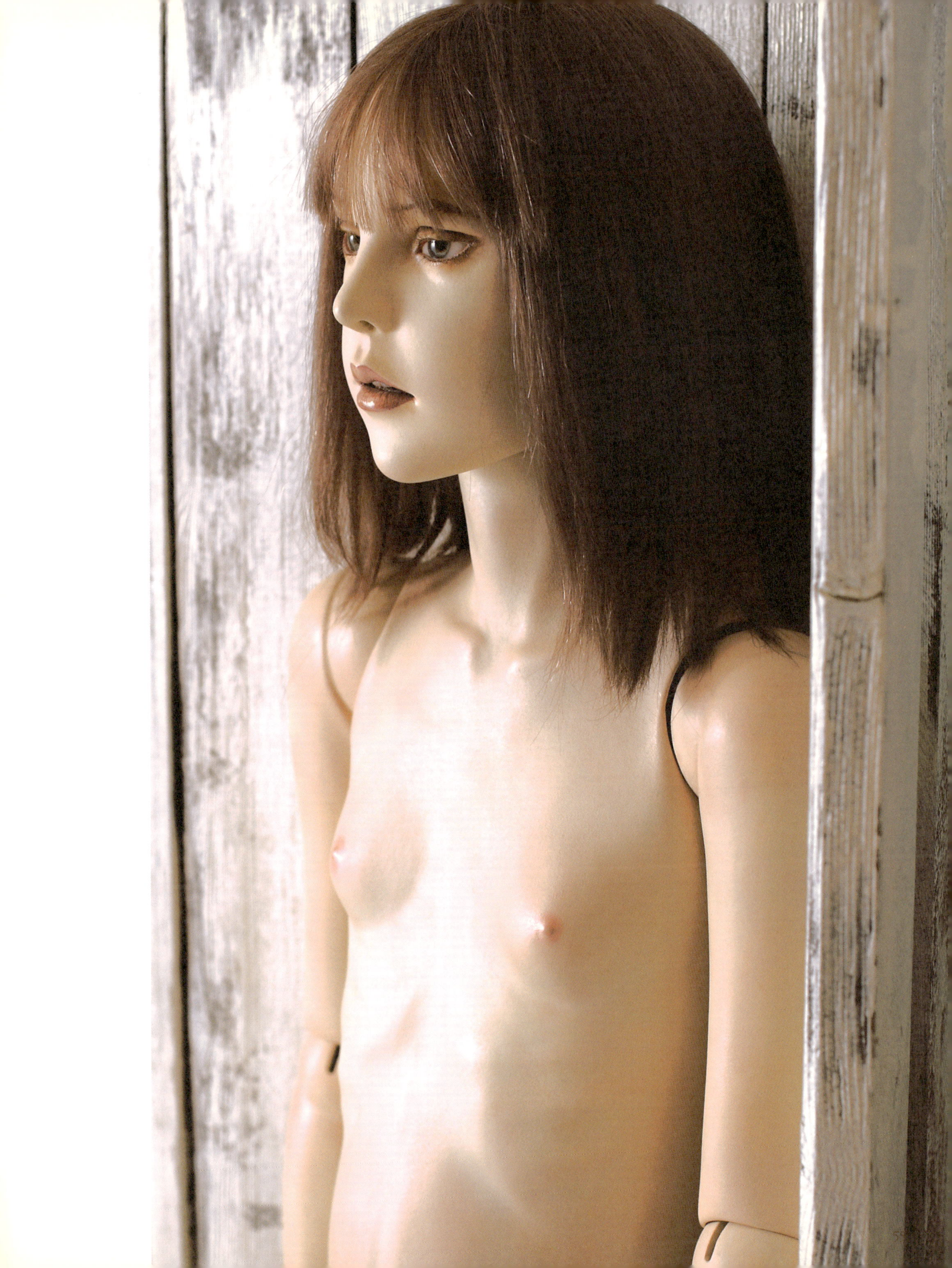

56

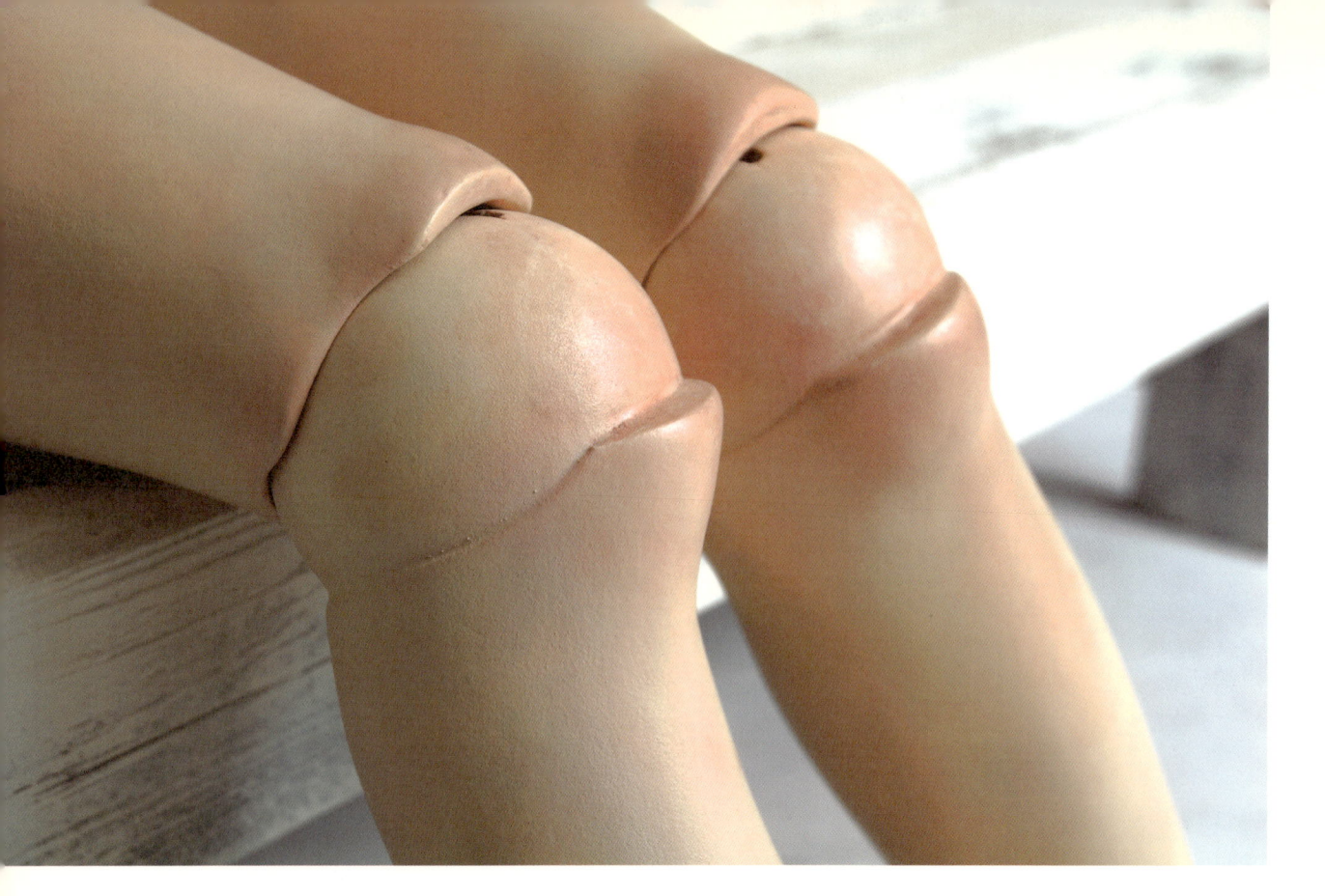

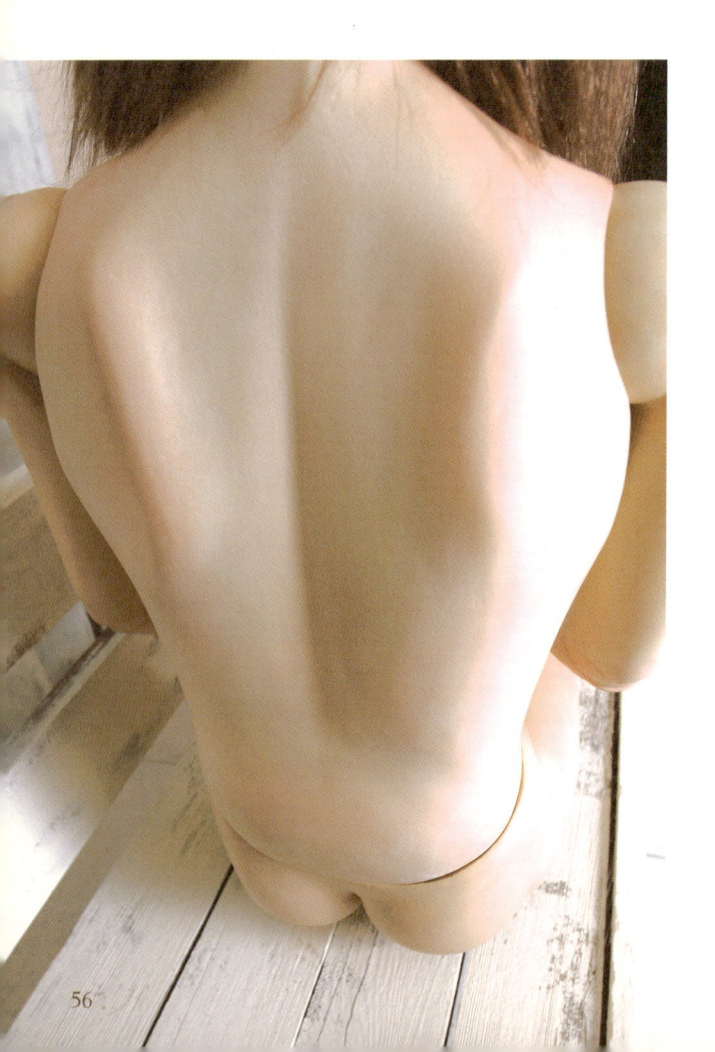

57

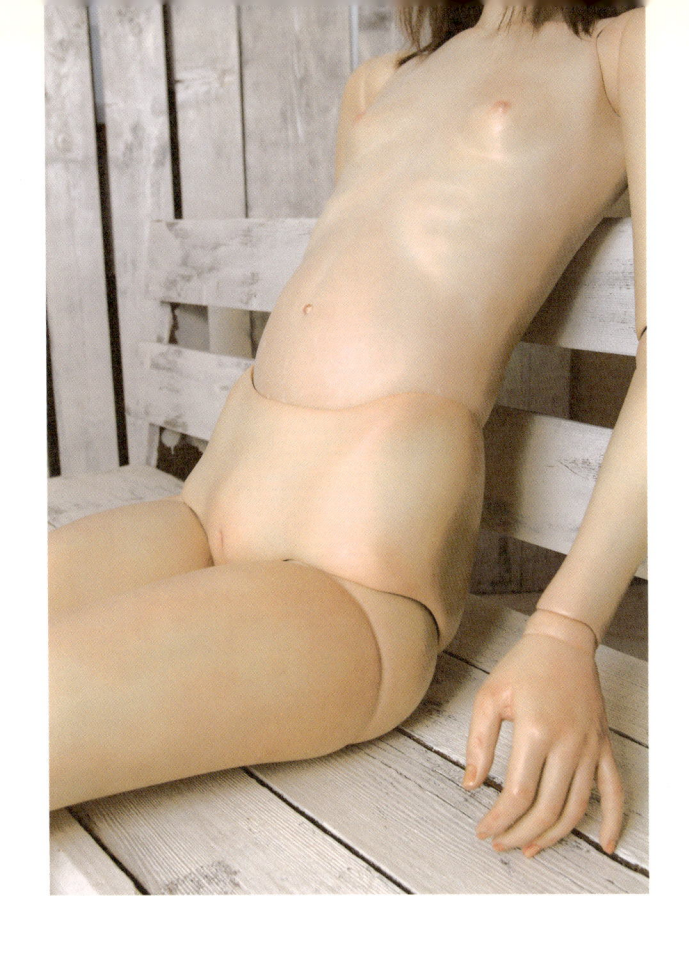

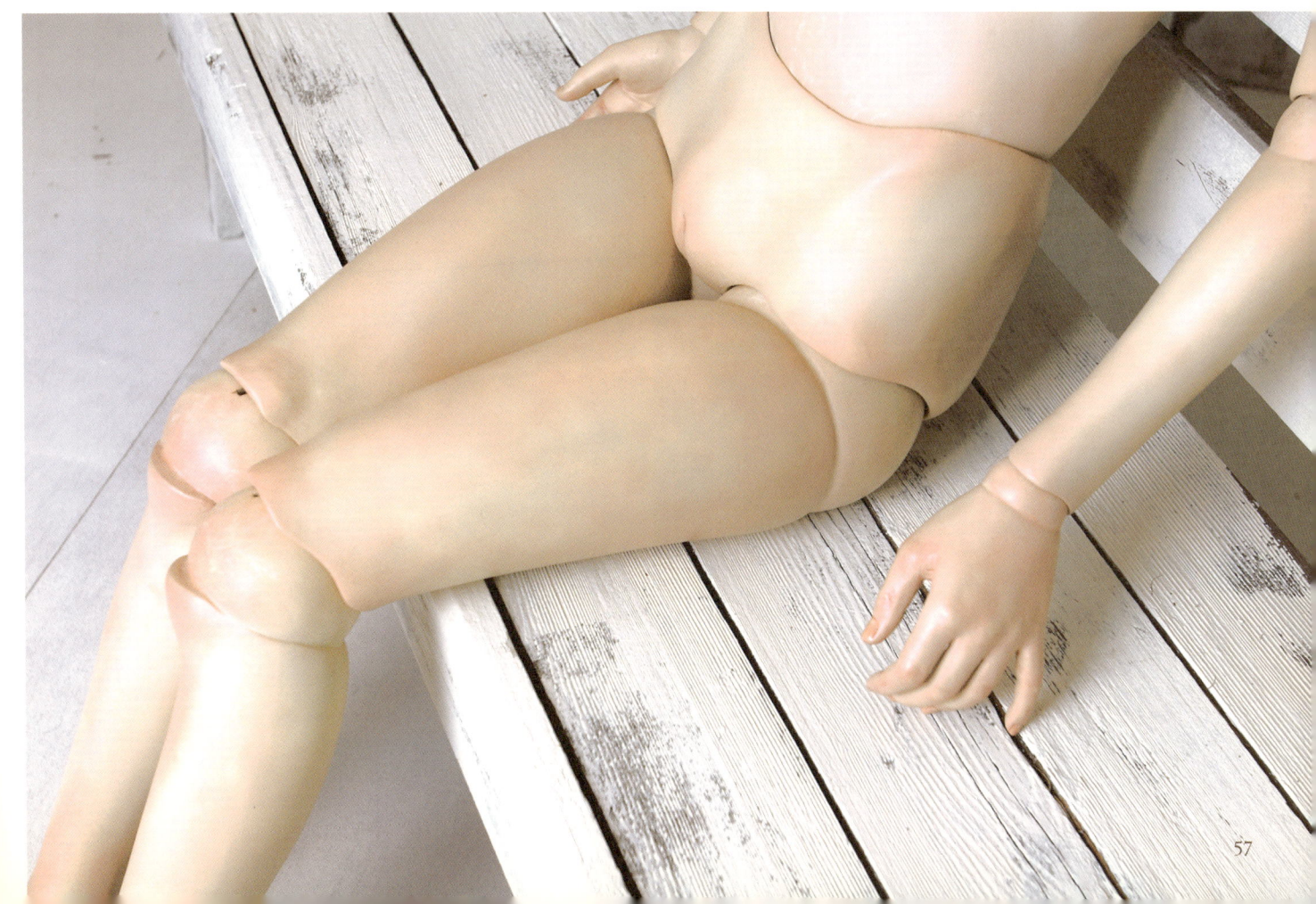

§4 首関節を設定する

Set up a neck joint

1. 接合部を削る → 2. 球の固定

ボディの球関節の作業はすべて終わりました。残る首の関節を仕上げましょう。頭と首の間に球を入れて、首の関節を設定します。球が入った状態で自然な首の長さになったら球を首側に固定します。頭側に固定してもよいので、その方法も解説します。球の固定や受けの作り方は前節を参考にしてください。

†用意するもの
- ヤスリ・彫刻刀
- 粘土べら、竹べら
- 粘土、水

1» 接合部を削る
shave needless clay

1 首関節の球との接合部になる、首と頭の内側を削ります。

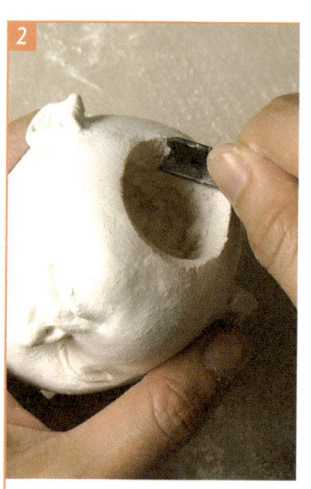

2 頭部側の穴を削るときは、中心がずれないように注意して削ってください。

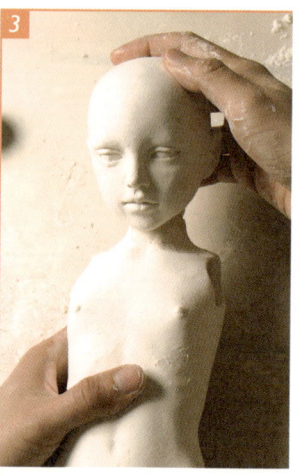

3 球と頭を首の上にのせて、首の長さをチェックしてください。球が入った状態で自然な首の長さにしましょう。

4 このとき、頭の中心が首からずれていないかも横から確認しましょう。

POINT 球は首の断面の太さより少し大きめの方が動きがよくなります。頭を動かして動き具合も確認しましょう。

2» 球の固定
fix a ball

1 他の関節と同様に、のりしろをとって穴の位置をマーキングし、球に穴を開け、中のスチロール芯を取り除きます。

III 関節

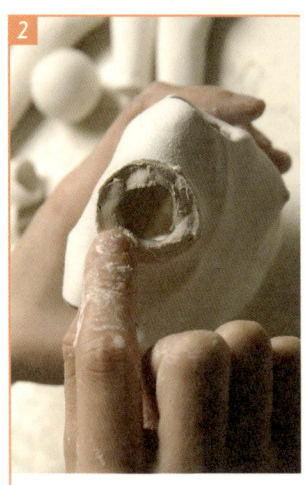

2 首部分と球の穴を開けた側に柔らかく練った粘土をこすり付けます。

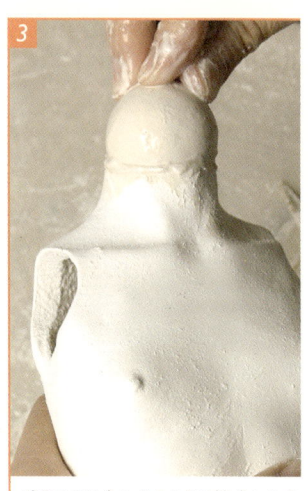

3 球をこすり合わせるように接合します。はみだした粘土はヘラで取り除いて整えてください。

4 首側に球を固定したので、頭側に受け皿を設定します。球の固定した部分が乾いてから作業しましょう。(P.53参照)

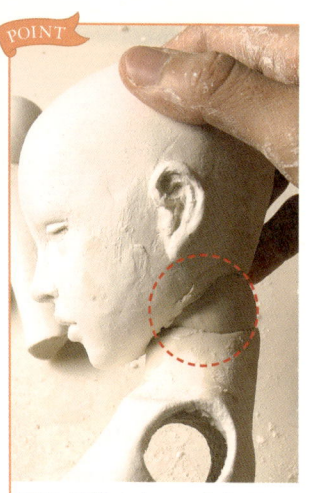

POINT 頭側・首側とも球の1/3程度が入るようにします。残った球の中央部1/3の範囲が頭の可動範囲となります。

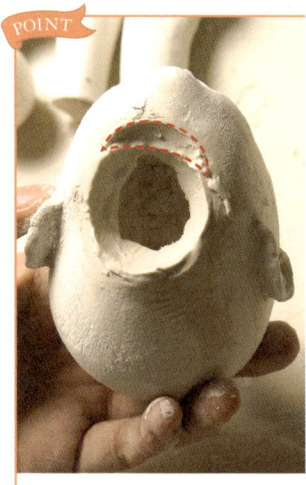

POINT 受けの外のアゴ側(点線部)を、喉とのアタリを考慮してへこませると、うなずく動きが一段と良くなります。

首の球関節の位置

頭側につけるか、ボディ側につけるかはデザイン上の違い程度です。頭側に球を固定する場合も、アゴ側を喉とのアタリを考慮してへこませると、うなずく動きが良くなります。また、首自体を独立したパーツにして上下に球をつける方法もあります。好きなやり方を選んでください。球に円形のリング(球の直径より小さい直径のリング)を合わせるとどの位置でも隙間無く密着して球が自由に動きます。このことからわかるように、球体関節の場合、球と「円の受け」の関係がもっとも動きが安定します。関節がグラグラしてしっかりと安定しない原因の多くは、関節の球や受けの部分が歪んでいて接合部に隙間ができているためです。通常はボディ側の首の上をそのまま半球状に形作ってしまうのですが、なんとなく丸くして関節にしようとしても正確な球にするのは意外と難しいものです。そこで今回は別に正確な球体を作って首に固定しました。慣れた方ならば別個に球を作らずとも結構です。

1 頭に球を固定する場合です。先程とは逆に、頭に球の1/3程度が入るように設定します。

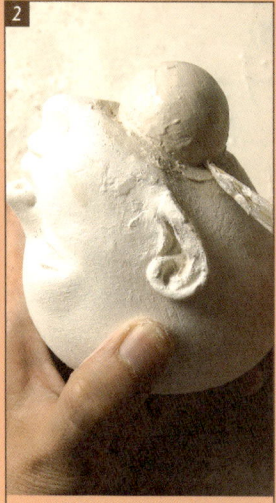

2 球に穴を開けてスチロール芯を取り除き、粘土を付けて頭側に固定します。

3 他の関節と同じ要領で、首側に受けを作ります。

59

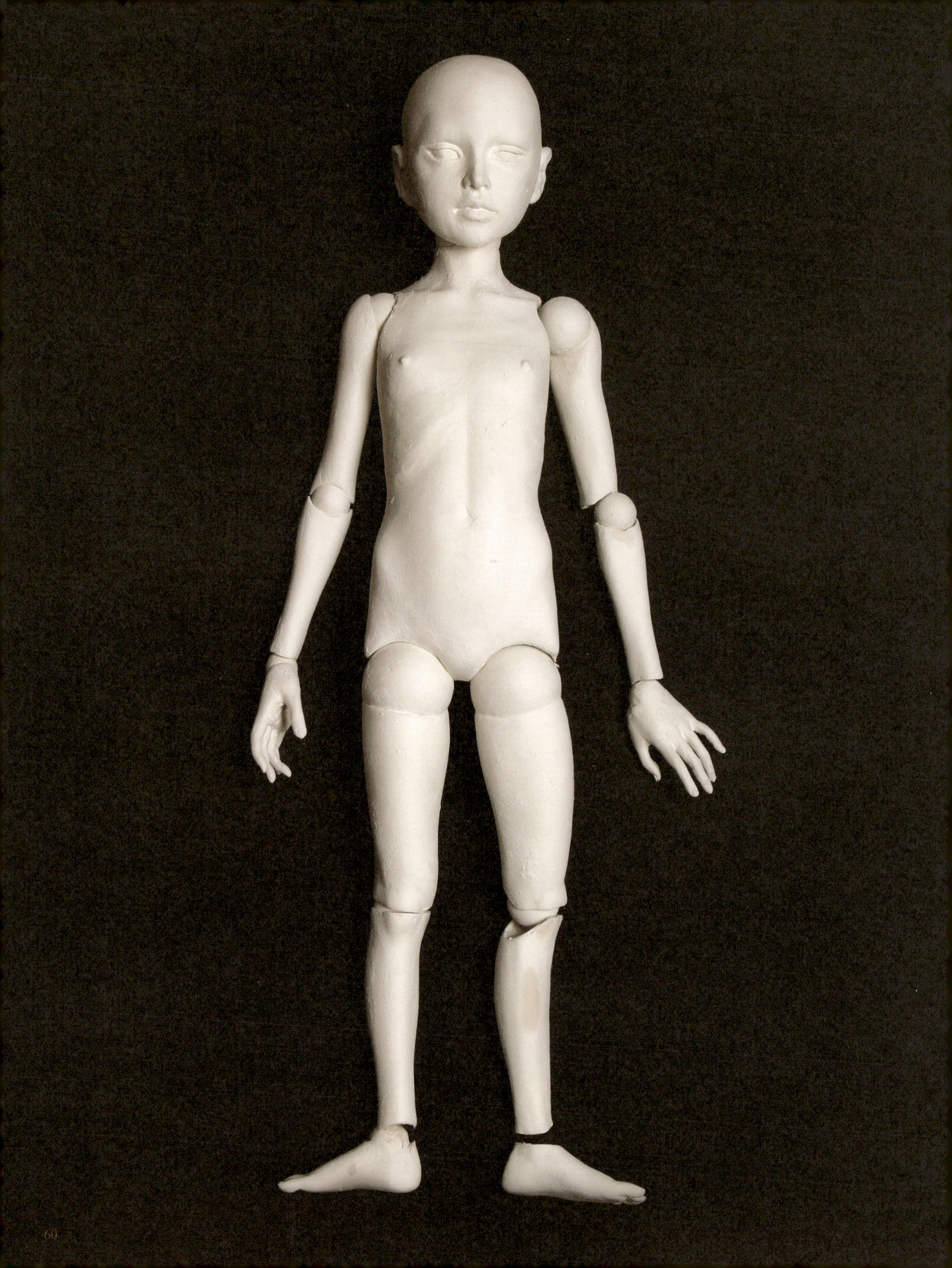

CHAPTER IV

組立
Construction

§1 義眼

Artificial eyes

1. 頭部を開く　　2. 瞳を開く　　3. 義眼を入れる　　4. 頭部を閉じる

眼が入ることによって、人形は一段と生命感にあふれた表情を持ってきます。生命を吹き込む上での重要な工程です。義眼で一般的なのは外国製の人形用義眼で、輸入されインターネット上でも販売されています。外国製の義眼のサイズはメーカーにもよりますが、白眼を含む直径6mmから32mmまで、2mmごとのサイズが標準です。瞳のサイズは、私の経験的にみると義眼サイズの1/2プラス1mm程度のものが多いようです。イメージに合わせて選んでいきましょう。義眼を自作する場合は、次節を参考にしてください。

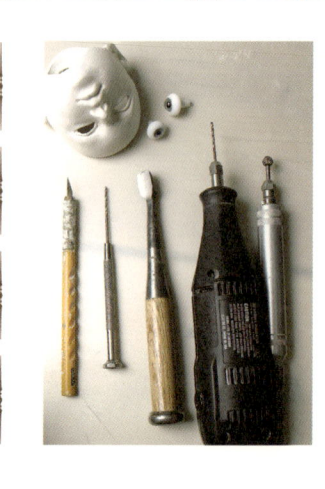

†用意するもの
・デザインナイフ
・先反丸ノミ、彫刻刀
・ピンバイス、ルーター、電動ドリルとフレキシブルシャフト

義眼の種類

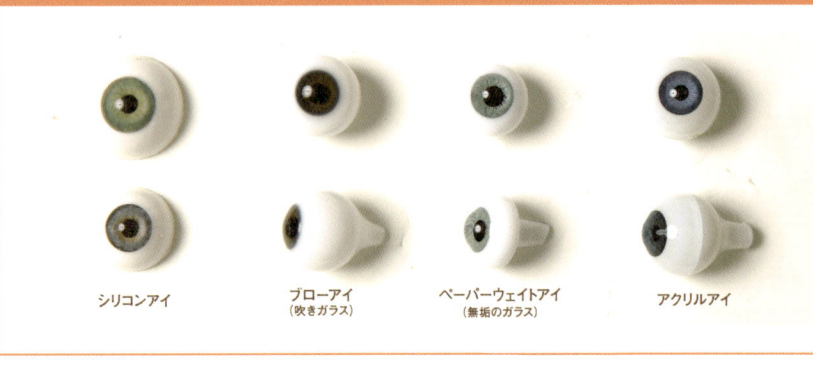

現在作られている人形用の義眼の種類には、シリコン、アクリル、ガラスなどがあります。形状としては、球以外にアーモンド型の義眼もあります。日本製のガラスの義眼は気軽に手芸店などで入手できるアイテムではありませんし、作っている職人さんもおそらく日本には数人いるだけだと思います。

シリコンアイ　　ブローアイ（吹きガラス）　　ペーパーウェイトアイ（無垢のガラス）　　アクリルアイ

1» 頭部を開く
open head

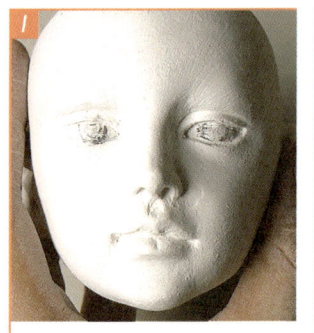

1　頭部の眼の部分に、鉛筆で好みの瞳の大きさを書いてください。その直径から義眼のサイズを決めます。

義眼のサイズ
今回の人形は希望の瞳のサイズが9mmですので、1mmマイナスして8mm、その2倍で16mmが義眼サイズとなります。可愛らしく瞳を大きめに入れたい場合は1サイズ大きめでも良いでしょう。今回は16mmグレーと18mmグリーンを用意しました。

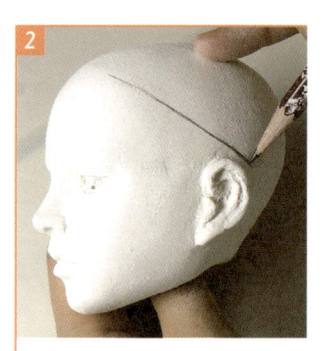

2　開口部が狭いと後の作業がしにくくなるので、耳の上ギリギリあたりで、断面が広くなるようカットラインを描きます。

IV 組立

3 切り落とす上部は後で元に戻します。切断する前に、頭部に合わせマークをつけておきましょう。

4 描いたラインに沿って、頭の上部をノコギリで切り落とします。

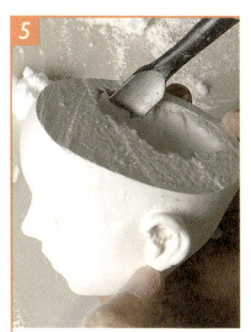

5 中のスチロールを取り除きます。

6 頭の上部のスチロールも取り除きましょう。

7 すべて取り除き、余分な厚みもくりぬいた状態です。

2》 瞳を開く
open eyelid

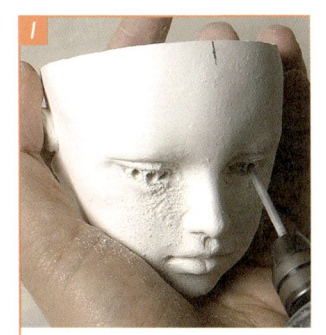

1 眼の部分を裏側から削りますが、その前に、目安となる穴を顔面側から眼球の位置に開けます。

2 ルーターを使って穴を開けます。右のように、ピンバイスを使ってもよいでしょう。

3 義眼が収まるように頭の内側から眼球部分を削ります。彫刻刀の丸刃だと楽に削れます。私は彫刻刀より大きい先曲がりのノミを愛用しています。

4 正面から眼の輪郭をデザインナイフなどで整えます。

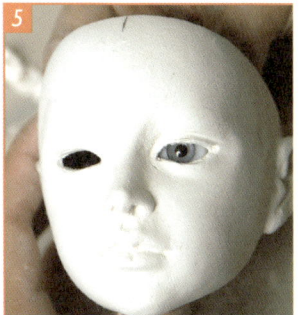

5 裏側から義眼をあてて収まり具合をチェックします。眼の収まりが悪い場合は再調整します。

⁂ Advice ⁂
まぶたが部分的に厚かったりすると眼の収まり具合が悪くなります。まぶたの裏側はギリギリまで薄く削っておき、まぶたと義眼の間を接着するときに、その粘土の厚みで調整すると楽です。

ルーターで削る

ルーターは精密工作などに使われ、多くの種類の先端工具が取り付けられる小型の電動ドリルです。通常はそれで充分ですが、力の強い大型ドリルを使う場合や狭くて奥行きのある部分を削る場合は、ドリル本体にそのままドリル刃や研磨パーツを取り付けずに、延長した小さなグリップ部分の先にドリル刃等を取り付けるための「フレキシブルシャフト」というパーツを使っています。フレキシブルシャフトを使うとドリル本体に比べてグリップ部が小さくなるため、細くて軽いので握りやすく、細かな作業での使い勝手が良くなります。

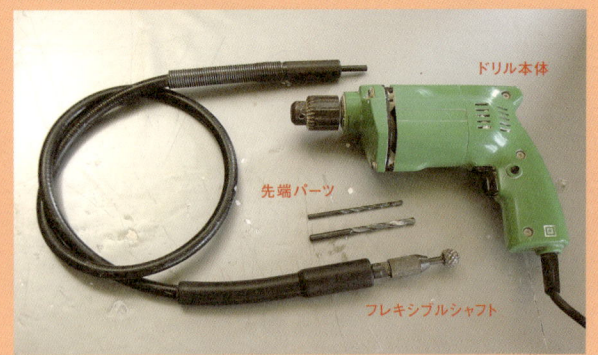

ドリル本体
先端パーツ
フレキシブルシャフト
ルーター

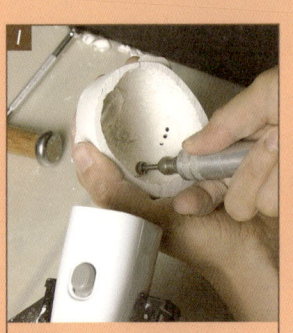

1 ルーターを使うと粉塵が舞うので、掃除機のノズルを万力で手元に止めて吸塵機として使いましょう。

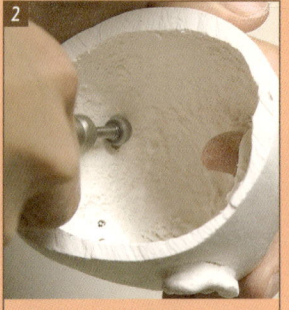

2 教室ではフレキシブルシャフトで細かい部分の作業をします。

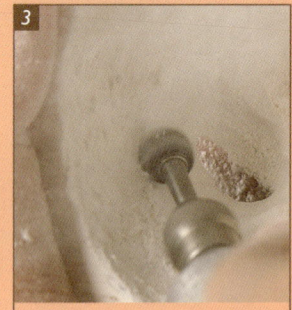

3 球状の刃を使ってまぶたの裏を削りましょう。

3» 義眼を入れる
put eyes into head

1 まぶたの裏を筆を使って水で濡らしてください。

2 柔らかく練った粘土をつけて眼の部分をふさぎましょう。

3 義眼を正面に向けて外側に寄せるように圧着します。

4 表側から眼の部分に余分な粘土がはみ出してきます。

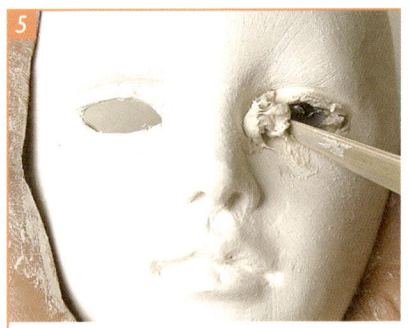

5 ヘラを使ってはみ出した粘土を取り除きましょう。

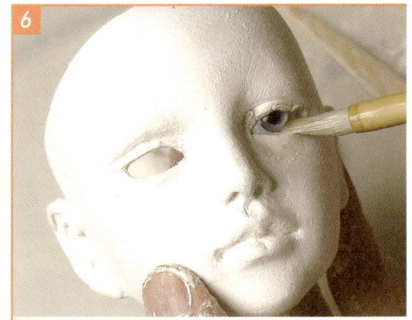

6 細部は濡らした筆で取り除き、裏から眼の向きを整えます。同じようにもう片方の義眼もはめていきます。

IV 組立

7 向って左眼が18mm、右眼が16mm。好みで使い分けますが今回は16mmでいきます。

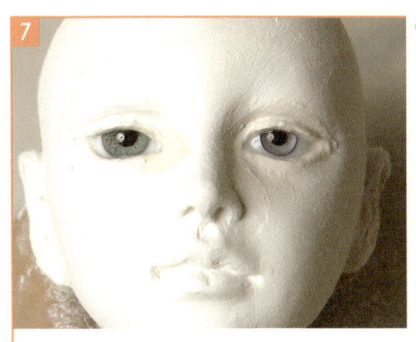

POINT 眼球の位置、向き、まぶたの厚み等に注意して左右のバランスを整えます。これだと上目使いの状態です。

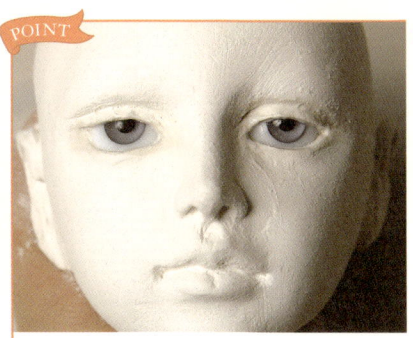

POINT 向って左側の眼の視線がずれています。左右の眼の向きを見極めるには顔面下側から見たほうが分かりやすいです。

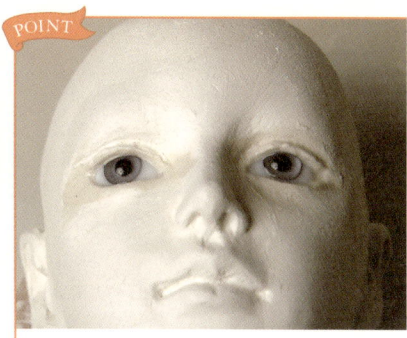

8 納得できる状態に調整したらその状態で乾燥させます。

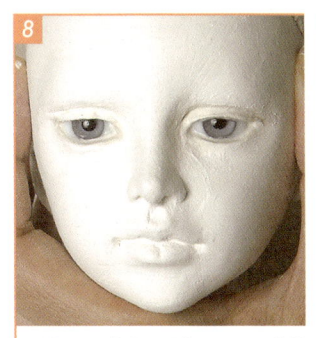

9 乾燥後、義眼が外れないように粘土を義眼の裏に盛り付けます。

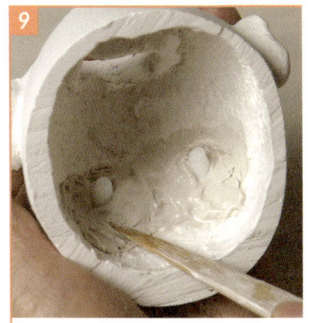

4 » 頭部を閉じる
close the head

1 義眼や歯（P.68参照）を固定したら頭部を閉じます。カットした頭部断面を濡らし、厚めに粘土をこすり付けます。

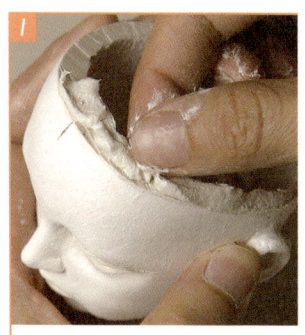

2 カットした頭頂部断面にも、同じように濡らしてから厚めに粘土をこすり付けましょう。

3 頭頂部と頭を、最初に付けた合わせマークを目印に圧着します。

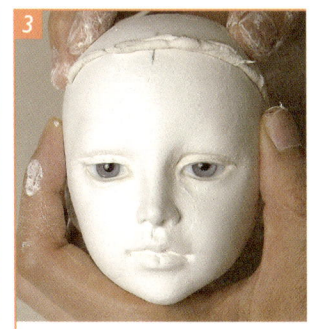

4 ヘラで整えて元の状態に戻しましょう。

5 これで頭部の出来上がりです。

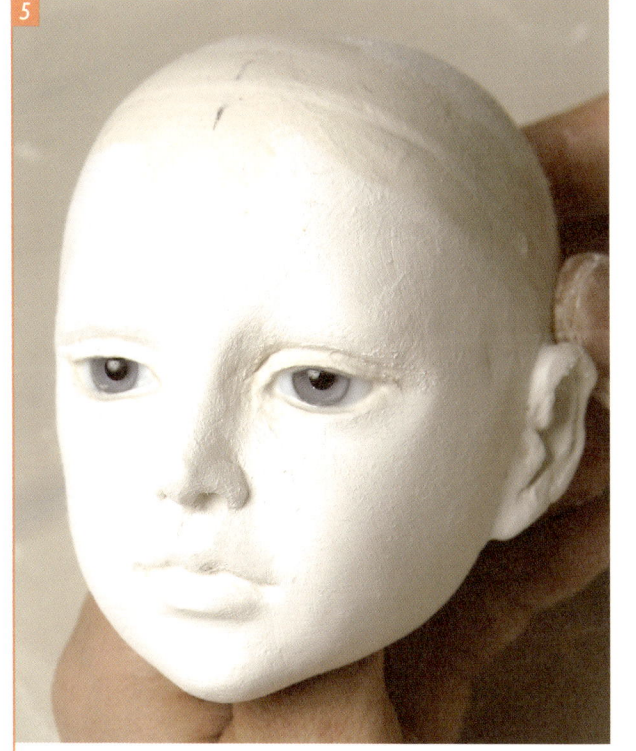

§2 義眼・義歯をつくる

Make artificial eyes & teeth

Ⅳ 組立

1. 義眼の瞳をつくる 2. 白眼の制作 3. 義歯をつくる

国外のメーカーの義眼は色や虹彩の種類も豊富ですが、より個性的な義眼を希望する方に簡単な義眼の作り方を解説します。ガラス半球でも良いのですが入手が難しいので、今回は樹脂の半球を使います。手芸店やビーズ売り場に置いてあるスパンコール材料で、裏面をメッキした物です。また、口を開いた人形を作るときには中から歯を覗かせる場合があります。歯は、義眼の白眼を作るのに使うオーブン粘土を使って作ります。

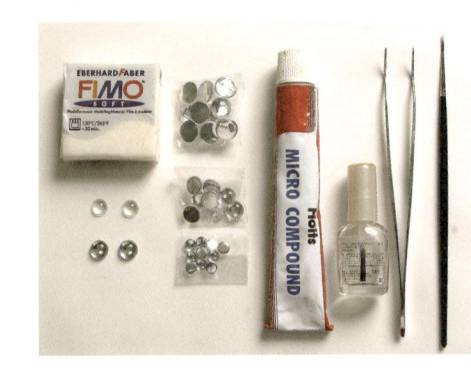

†用意するもの
・オーブン粘土
　（FIMO 半透明-014）
・ガラスあるいは
　樹脂の半球
・微粒子のコンパウンド
・粘土
・透明マニキュア
・ピンセット
・絵の具等

1》 義眼の瞳をつくる
make pupils

1 まず、義眼の角膜にするための樹脂の半球を用意します。

2 極細目のコンパウンド（研磨剤）を布につけて半球のメッキの面を磨きます。

3 透明になるまでしっかり磨いてください。

4 紙に半球の輪郭をなぞって写します。

5 輪郭を目安にして好きな画材、色で瞳を描きます。

6 繊細な部分は描いた瞳の上に半球を実際に乗せてチェックしてください。

瞳の仕上がり
半球のレンズ効果で描いた瞳が拡大されるため、仕上がりは色鉛筆、水彩絵の具、油彩絵の具など、絵の具の違いや絵の具の厚み、虹彩の描き方でかなり変化します。

7 瞳が描けたら半球を接着します。まず、瞳を切り抜きます。

8 透明マニキュアを瞳の輪郭に塗ります。

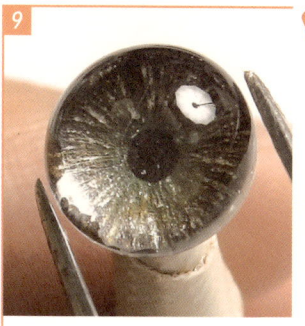

9
ピンセットで半球を瞳の上にのせて接着します。

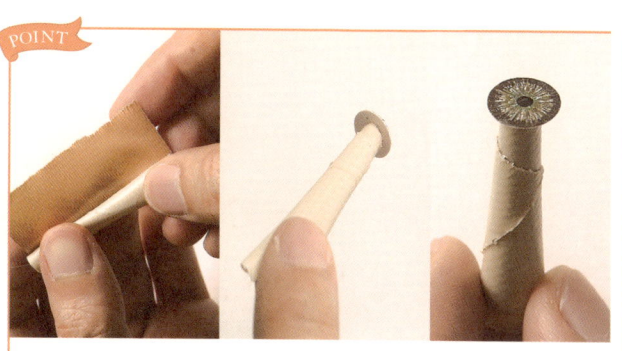

POINT
この作業のとき、小さい瞳は手で持ちにくくなります。布のガムテープを裏返して巻いたもので瞳の裏を軽く押さえて持つと作業が楽になります。

10
ずれたりしていないか横からも見て確認します。

Ⅳ 組立

11
瞳の完成です。

2》

白眼の制作

make white of eyes

1
次に白眼を作ります。瞳にあわせて適量のオーブン粘土を取ります。

2
手の平でまるめて瞳にあった大きさのボールを作ります。

3
パレットナイフ等でボールを2等分にして両方の白眼にします。

4
瞳が外れるのを防ぐため半球の瞳をオーブン粘土の白眼に1〜2mmほど埋め込みます。

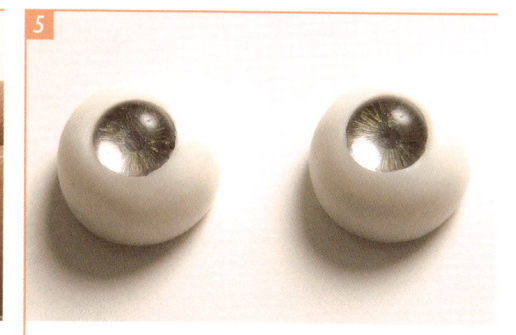

5
瞳の輪郭を整えます。

6
オーブン粘土を固めるために熱を加えます。今回は電気オーブントースターを使います。

7
加熱しすぎると焦げたり、火ぶくれになるので、まずは試験用のオーブン粘土を別に用意して加熱時間を試算してください。

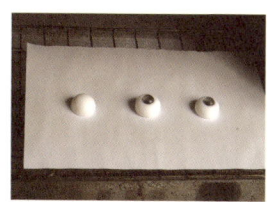

加熱の調整
オーブンの出力や冷えた状態からの加熱と使用後からの加熱で時間が変わります。熱くなっている状態からの加熱で1〜2分程度です。また余熱で加熱することもできます。スイッチが切れた後にオーブンに入れて余熱で3〜4分ほど加熱します。熱不足の場合はそれを繰り返してください。

IV
組立

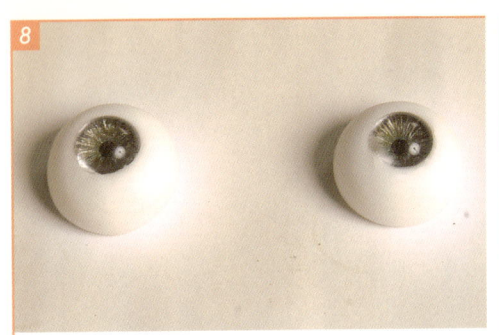

8
透明感が出てくれば加熱は終了です。

9
出来上がった義眼全体に透明マニキュアを塗ります。

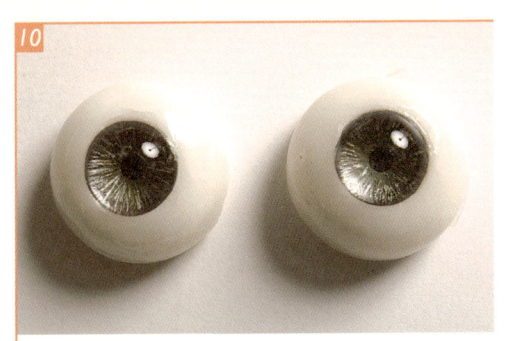

10
完成です。コーティング材料には、より皮膜の強いエポキシやウレタン塗料もありますが、透明マニキュアが手軽です。

3 » 義歯をつくる
make artificial teeth

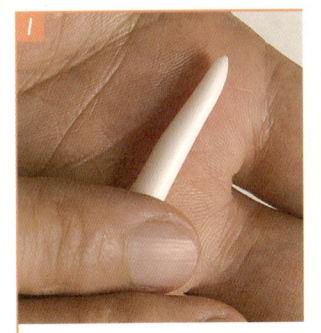

1
手の平でオーブン粘土を歯の太さに丸めます。

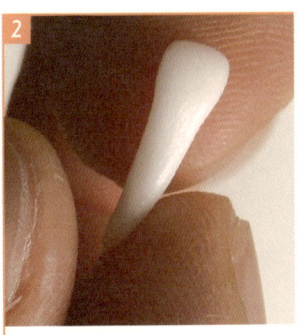

2
粘土の先を指先で平らにして前歯の形に調整します。

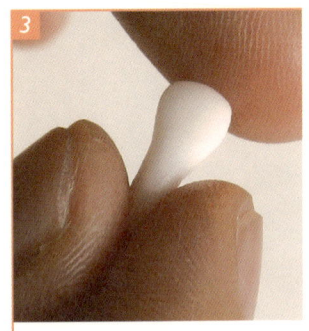

3
用意する歯の本数は、チラッと前歯が見える場合で4本程度でよいと思います。

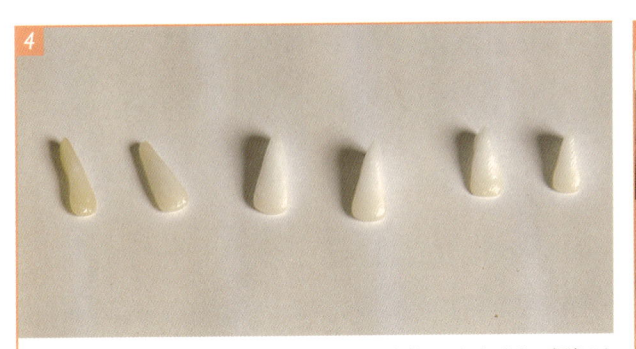

4
義眼の白眼を加熱した要領でオーブントースターで加熱しますが、小さい容積ですから数十秒の加熱で充分です。熱しすぎると写真左の歯のように焦げたり火ぶくれてしまいます。

5
歯を固定する歯茎を粘土で作ります。

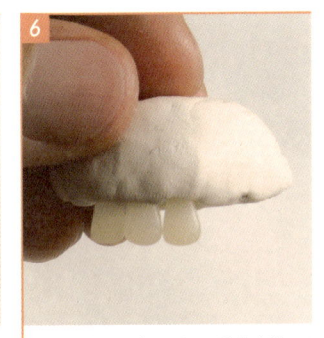

6
この歯茎に出来上がった前歯を差して固定します。

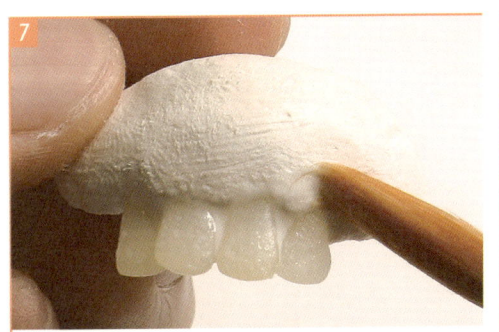

7
濡らした筆を使って自然な感じに歯茎の形を調整してください。

8
歯茎をピンクに彩色して乾燥したら透明マニキュアを塗り重ね、濡れた感じを表現します。

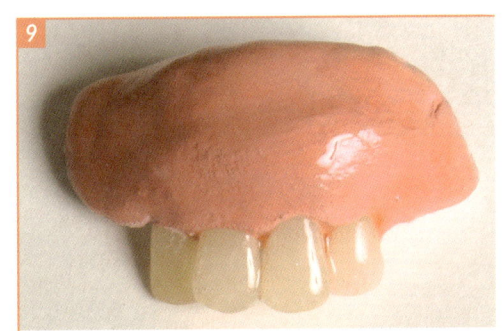

9
完成です。歯茎が全く見えない場合は彩色しなくても構いません。

68

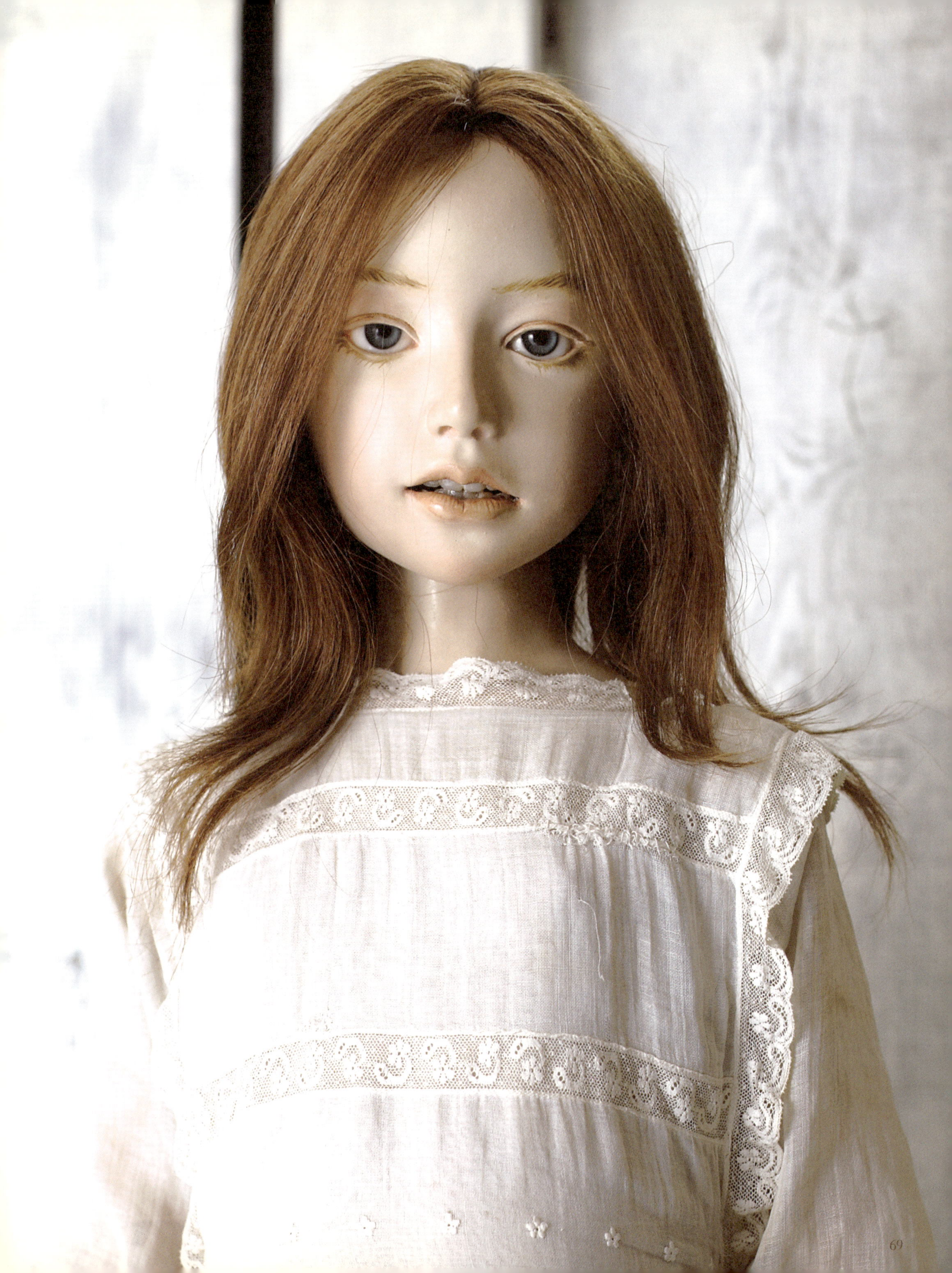

§3 腕・脚の接合準備

Set up to put together arms & legs

IV 組立

1. 中心線を引く　2. 股関節の準備　3. ひじ・ひざの準備　4. 肩の準備

各パーツを接合する準備をします。人形を接合するためには一般的にゴムひもを使用し、頭から足首、手首から手首をゴムで引っ張って結合させます。ただ繋げて直立させるだけなら、単純に穴を開けてゴムを通せば良いのですが、それではゴムの反発力によって曲げたひざやひじが元に戻ってしまうという不都合が生じます。人形の各関節を安定して曲げるためには、ゴムの反発力の方向をコントロールする必要があります。そのために関節の球に溝を開けることになります。ゴムは基本的に引っ張りあう位置と位置の中心を通るので、球の中心から動かす角度の分だけ溝を開けましょう。溝はゴムの太さにあわせて開けるので、まずは人形の大きさにあったゴムの太さを決めてください。

† 用意するもの
- ノコギリ
- ルーター
- 筆記用具
- ヤスリ
- 彫刻刀
- 粘土、水

ゴムの種類

今回は布のかぶせてある丸ゴムの「4本丸」(太さ約2.2mm)を使用します。人形の大きさにあったゴムの太さを選びましょう。小さい人形は2mm程度、1mクラスの大きな人形は5mm程度になります。布に包んであれば身近にある物でもよいですが、適度な強度のあるゴムを使ってください。

1» 中心線を引く
draw a center line

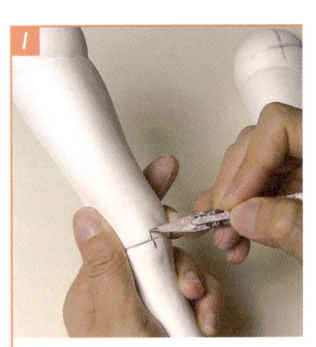

1. 球に溝を開ける位置を引きます。球の中心線上に溝を開けるので、まずはひじ・ひざの中心にマークをつけます。

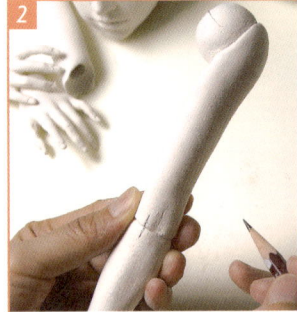

2. こうすることで、溝の位置や角度の判断がしやすくなります。

2» 股関節の準備
set up a hip joint

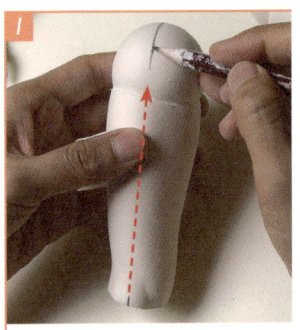

1. ひざの中心を目安に、股関節の球の中心線にマークしてください。今回は、角度にして90度ほど可動させます。

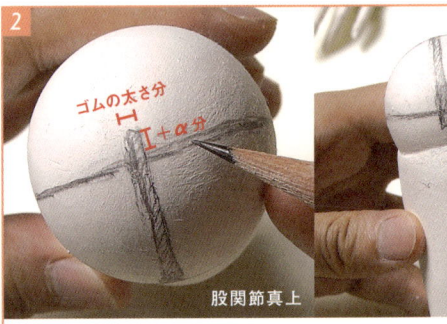

2. 垂直方向真上から動かす前方向へ、股関節の球の溝を開ける位置にマークします。真横から見て90度＋α（αはゴムの太さ、今回は3mm）の溝になります。

股関節真上　　　股関節前

IV 組立

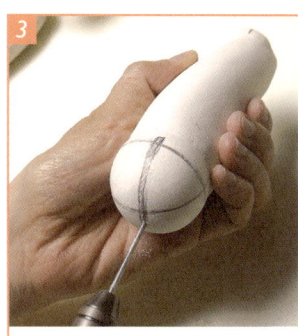

3
使用するゴムの太さにあわせ3mmのドリル刃をつけたルーターで溝の端に穴をあけます。

4
前側の端にも穴を開けましょう。

5
ノコギリを使って、穴と穴の間に溝を開けます。溝の幅は3mmより少し太めになるようにします。

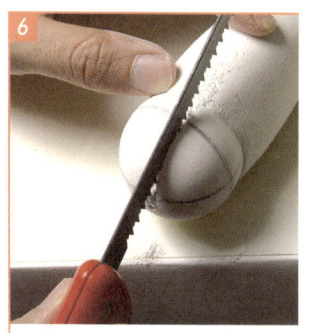

6
手で押さえてやりにくいときは、作業台の端に置いてもよいでしょう。同様に、もう片方の股関節にも開けてください。

3 » ひじ・ひざの準備
set up elbow & knee joints

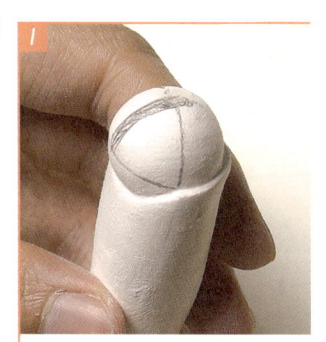

1
股関節と同様にひじ関節の球にも、ひじの中心を目安に真上の中心線にマークします。

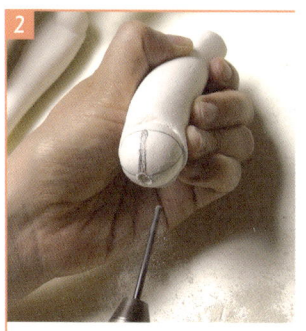

2
3mmのドリル刃をつけたルーターで溝の端に穴をあけます。

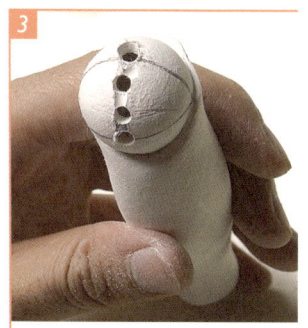

3
ひじ関節の球は小さいので、ルーターで続けて溝に幾つか穴をあけます。このときもドリル刃は3mmです。

4
ドリルの刃を寝かせて刃の側面で削ったりして、穴を繋げて溝にします。

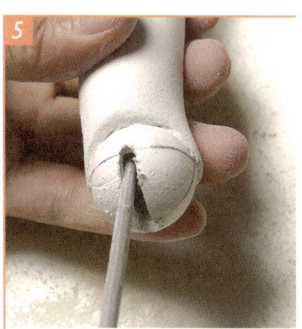

5
金属ヤスリで溝のラインを整えます。

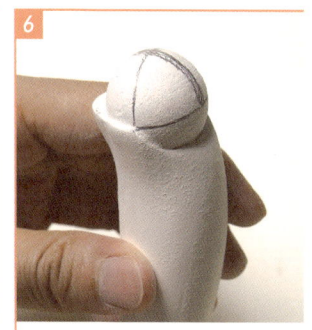

6
ひざ関節もひじ関節と同様に、ひざの中心を目安に真上の中心線にマークして、溝を開けましょう。

4 » 肩の準備
set up shoulder joints

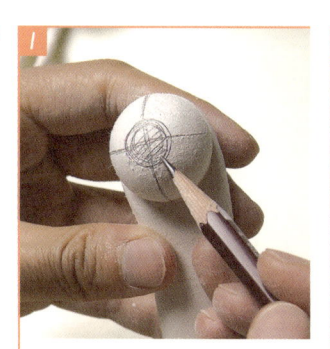

1
肩は回転による動きが主体となりますので、今回は溝ではなく大きめの穴を開けて対応します。

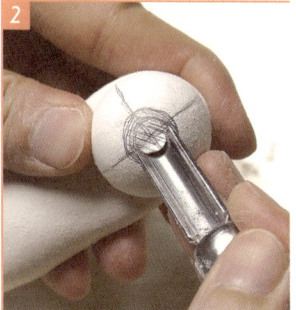

2
他の関節と同様、中心線を引き、穴を開ける部分を書いてから、彫刻刀の丸刃を使って削るように開けましょう。

Advice

同じ作業をまとめてした方が楽です。最初にすべての関節にマークをつけてから、溝を開けていくようにしましょう。

§4 手首・足首・頭の接合準備
Set up to put together wrists, ankles & head

IV 組立

1. 足首の準備　2. 手首の準備　3. フックの作成　4. 頭部の準備

手首・足首の関節球には、ゴムを掛けるためのフックを引っ掛けるワイヤーが必要になります。ワイヤーの下側が粘土で埋まってしまうと、フックがかけられず関節が動かないことになりますので、S字フックが動かせる空間が出来るようにしてください。ワイヤーは力のかかる部分ですので、丁寧に作業しましょう。頭にもゴムを掛ける必要がありますが、頭には直接フックを取り付けます。手首・足首・頭部で使用するのはステンレスワイヤーです。ピアノ線など鉄製の物は、数年経過すると茶色の錆びが表面に出てきますので使用しないでください。太さは人形の大きさに合わせましょう。大きな人形は1.5mmよりさらに太いワイヤーになります。小さな人形で、1.0mmより細いワイヤーを使う場合は、ステンレス線の中でもより硬い「バネ線」を使ってください。ステンレスワイヤーは細くなると柔らかくなりゴムの力に負けて伸びてしまいますので注意しましょう。

†用意するもの
・ステンレスワイヤー
　♯16（直径約1.5mm）
　♯18（直径約1.1mm）
・瞬間接着剤
・ルーター
・筆記用具
・ペンチ
・アートナイフ

1» 足首の準備 set up ankles

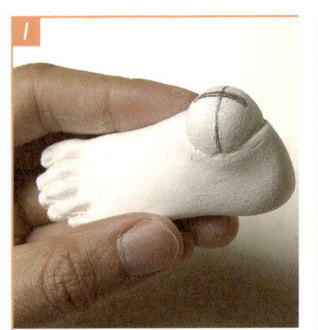

1 足首の関節の球も、ひじ・ひざと同様に溝を開けます。溝を開ける方向を間違えないように注意してください。

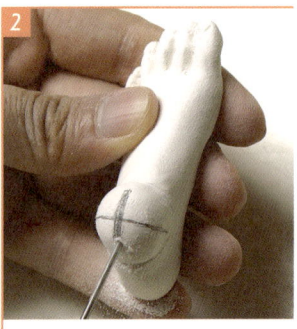

2 手足はワイヤーの太さより少し太めの溝を開けます。2mmのドリル刃をつけたルーターで溝の端に穴を開けましょう。

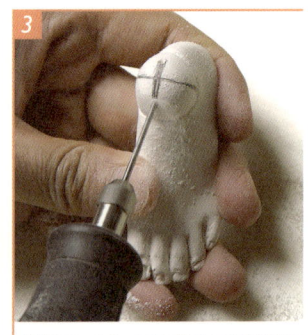

3 同様に、もう一方の端にも穴を開けます。続けて、ひざ・ひじと同じように、溝に合わせて幾つか穴を開けます。

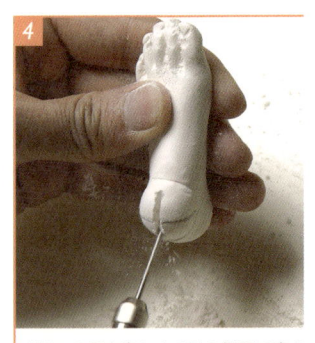

4 ドリルの刃を寝かせて刃の側面で穴を繋げて溝にします。

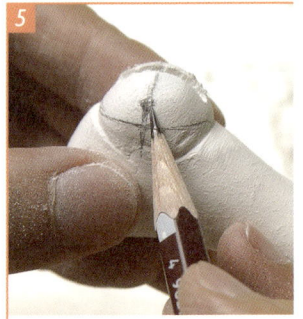

5 球の側面の中心から少し上寄りの位置に穴を開けるための目印をつけます。大きめの人形は中心位置に穴を開けます。

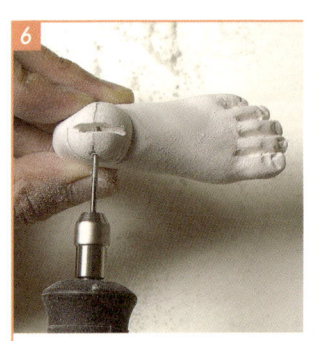

6 ルーターを使って穴を開けましょう。この穴にワイヤーを埋め込みます。

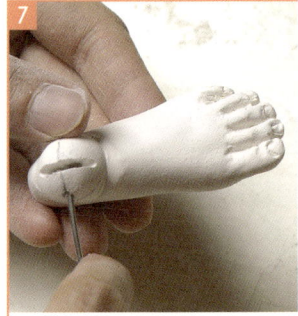

7 ステンレスワイヤー♯16を使用します。穴にワイヤーを通して穴の長さを確認しましょう。

IV 組立

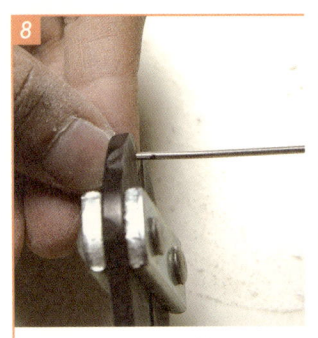

8 通したとき、ワイヤーの端が見えなくなるよう短めにカットします。

9 カットしたワイヤーを穴に通し、瞬間接着剤を外側から流し込みます。

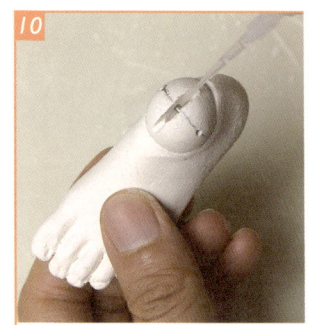

10 内側からも接着剤を流し込みましょう。

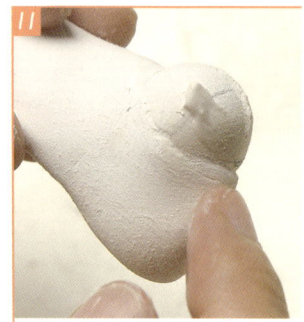

11 接着剤が乾燥した後、粘土で穴を埋めて元通りにします。

12 ワイヤーを埋め込んで、関節の球を元通りに戻した状態です。

2» 手首の準備
set up wrists

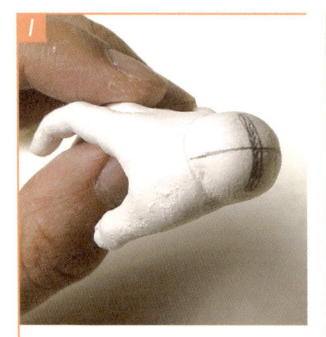

1 手首も足首と同様に溝を開けましょう。溝を開ける方向に注意して目印をつけます。

2 溝にあわせて幾つか穴を開けます。

3 ドリルの刃を寝かせて刃の側面で穴を繋げて溝にします。

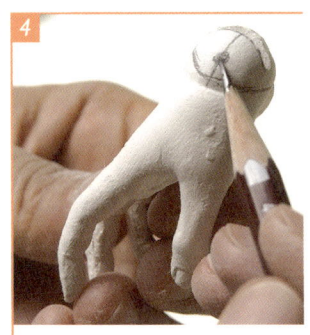

4 ワイヤーを埋め込みます。球の側面の中心から少し上寄りの位置に穴を開けます。

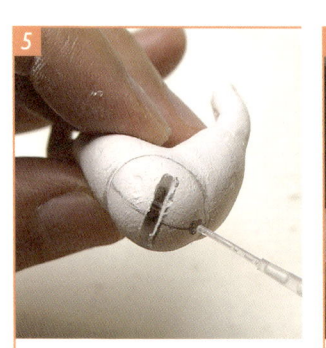

5 長さを確認し、カットしたワイヤーを穴に通して、瞬間接着剤を外側から流し込みます。

6 内側からも流し込み、接着剤が乾燥した後、粘土で穴を埋めて元通りにします。

3» フックの作成
make hooks

1 埋め込んだワイヤーにゴムを引っ掛けるためのフックを作ります。

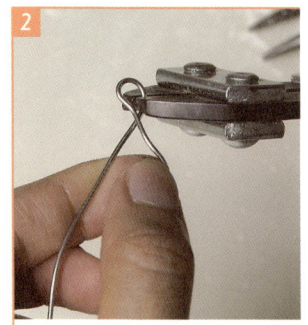

2 #18のステンレスワイヤーをペンチで曲げてS字型にします。

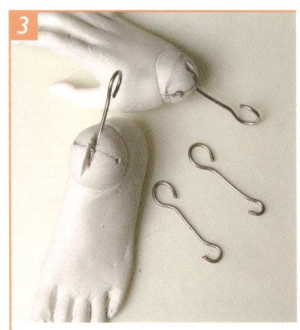

3 手首・足首各2本ずつ、計4本のフックを作りましょう。出来たらそれぞれのワイヤーに引っ掛けます。

4 » 頭部の準備
set up head

首関節の穴の準備

首の関節に穴を開けます。頭側に球を付けた場合、首側に球をつけた場合ともに彫刻刀の丸刃を使って大きめの穴を開けます。穴には接合用のゴムが通りますから、許される範囲で大きい穴の方が可動範囲は広くなります。

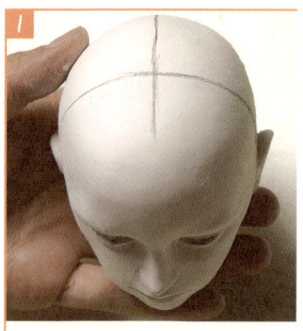

1 頭にゴムを掛けるためのフックを固定します。首と接合するための穴の真上の位置にマークします。

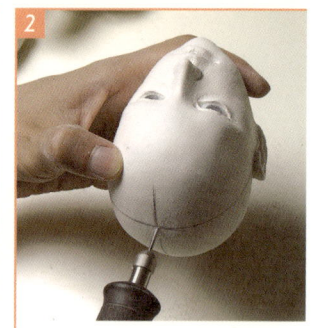

2 2mmのドリル刃のルーターで穴を開けます。

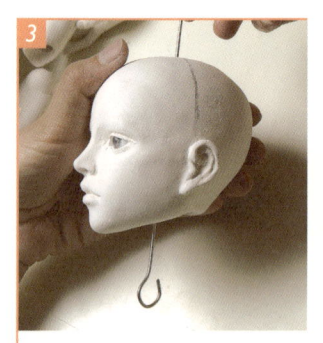

3 ステンレスワイヤー#16を写真のように曲げて穴に通します。

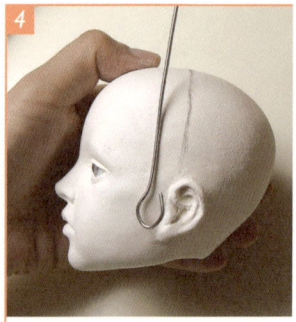

4 フックの位置が耳の内側辺りになるようにします。

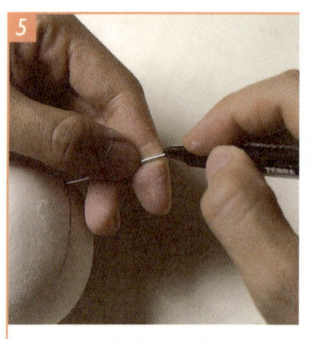

5 ワイヤーの頭頂部の位置にペンなどでマークをつけます。

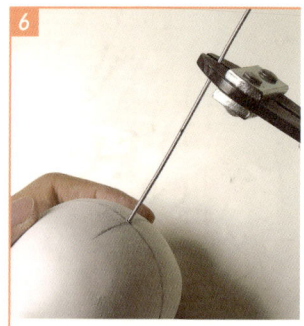

6 マーク位置より2cm長くカットします。

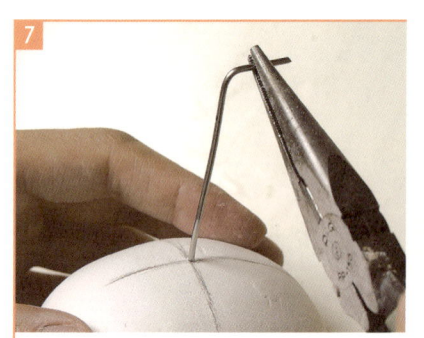

7 先端1cmの位置で直角に曲げます。

8 次にマークした位置を直角に曲げます。

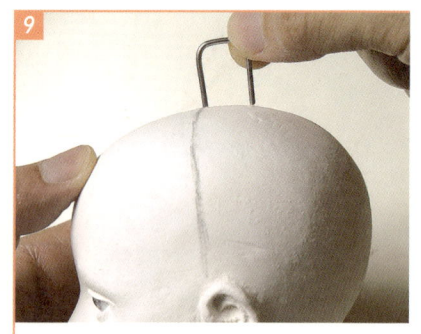

9 曲げたワイヤーを差し込みましょう。

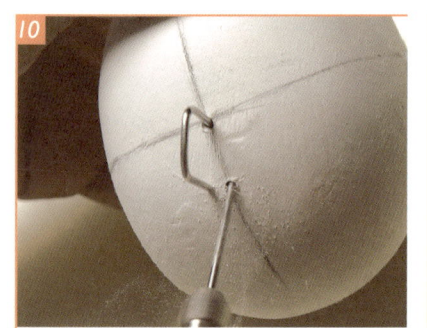

10 曲げたワイヤーを差し込む穴を開けます。2mmのドリル刃のルーターを使用してください。

11 穴と穴の間に、デザインナイフなどで溝を彫ってワイヤーが平らに収まるようにします。

12 瞬間接着剤で固定した後に、粘土をかぶせ表面を平らに調整します。

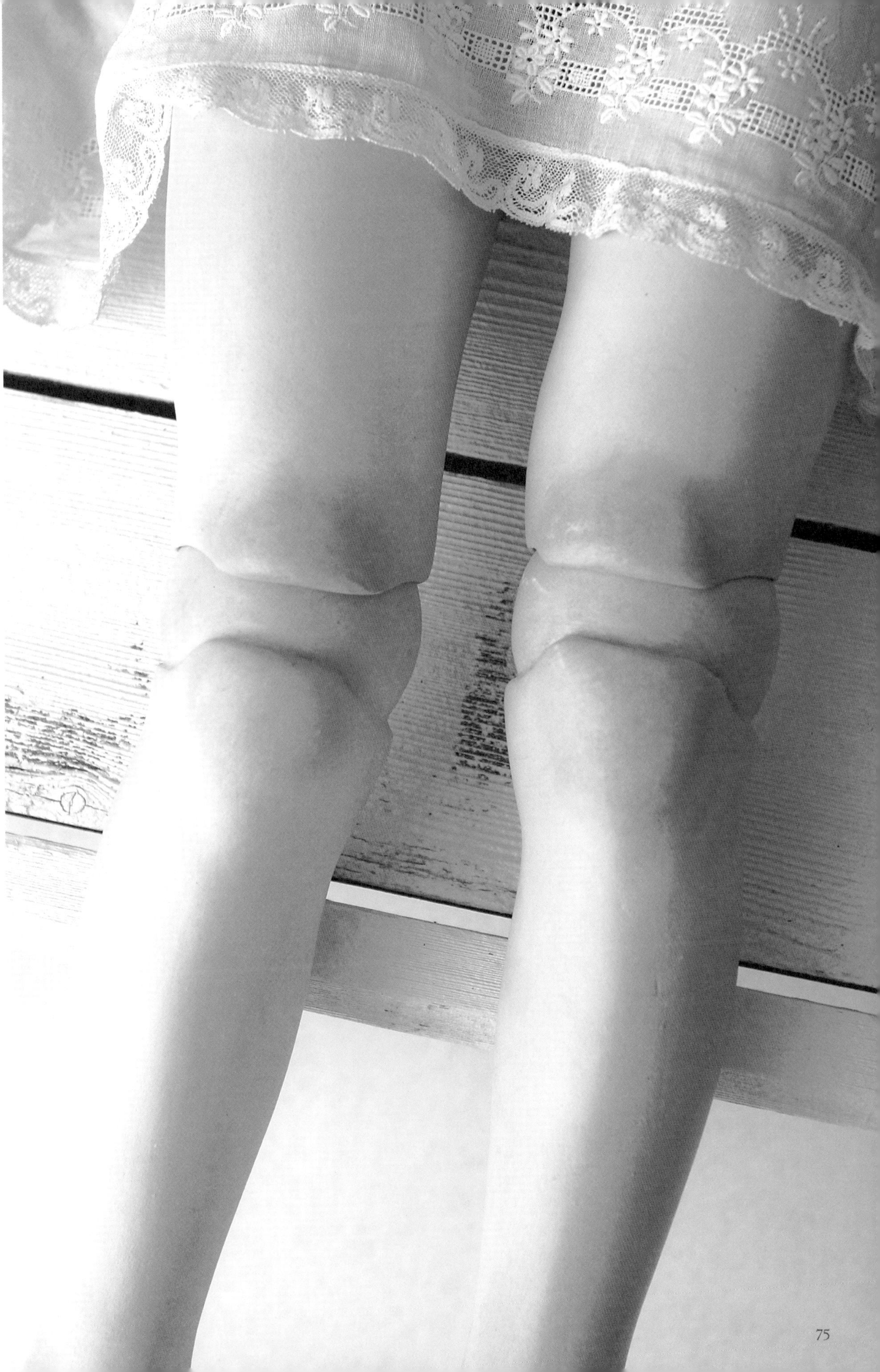

§5 接合

Joining

IV 組立

1. ゴムの用意 → 2. 組み立て

各パーツを接合し、人形を自立させましょう。人形が台座もなしに立つことが不思議なのか、「足に重りが入っているのですか?」と聞かれることがあります。きちんとデッサンの出来た人形は、固定ポーズ人形でも関節人形でも自立が可能です。ただし関節人形の場合は、関節の作りがしっかり出来ていることが更なる条件となります。補助としてスタンドを使うことがあっても、あくまで人形を自立させることが必要です。それでは、体の内側にゴムを通して組み立てていきましょう。前述の通り、今回は「4本丸」という種類のゴムを使用しています。生のゴムは劣化が早くすぐに切れてしまいますので、布で包まれたゴムを使用してください。

†用意するもの
・ゴム　・ステンレスワイヤー♯18　・ペンチ

1》

ゴムの用意
prepare elastic string

ゴム通し

手首・足首にゴムをかけるフックを作ったときに使用した、♯18程度の太さのワイヤーでゴム通しを作ります。ボディ部の長さより20cmくらい長くカットしてください。片方の先端をS字フック同様、ラジオペンチを使ってゴムを掛けやすいようにカギ型に曲げましょう。

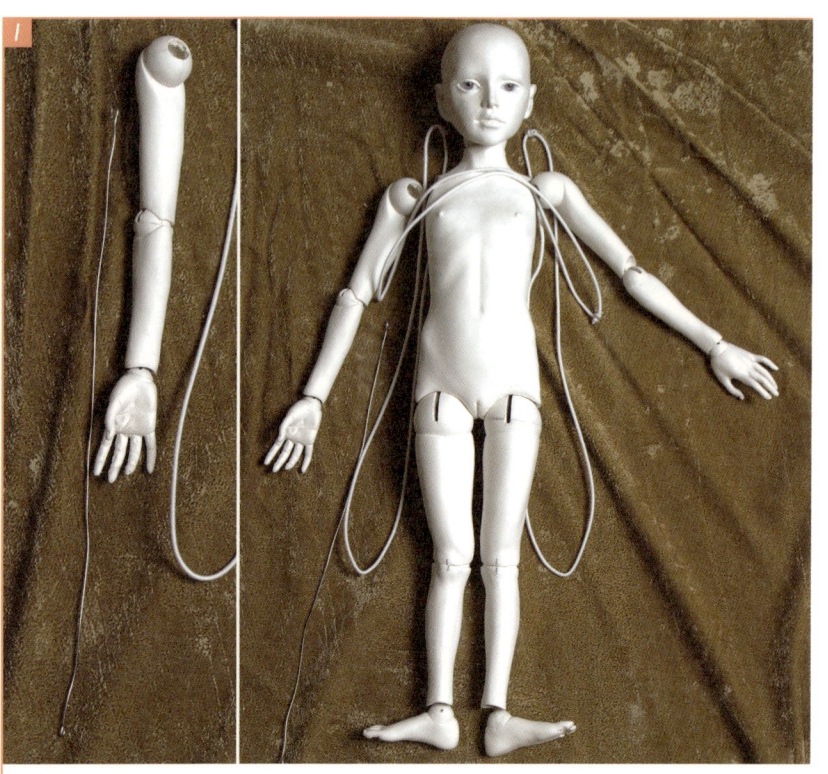

まず写真左側のようなゴム通しを作ります。次に、腕、脚をつなぐゴムを揃えます。腕はひじから反対側のひじまでの長さの2倍をつなげた輪となります。

2»

組み立て
construction

IV
組立

1
頭のフックに脚をつなげる2本のゴムの輪を引っ掛けます。結び目は関節の溝を通らないので頭の中に収めておきましょう。

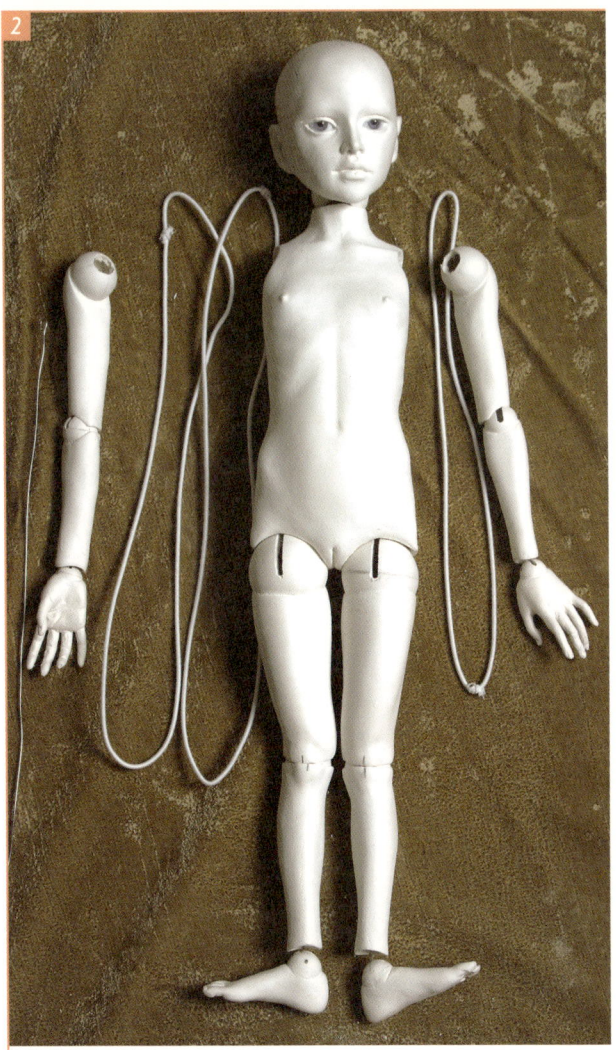

2
脚をつなげるゴムは、頭の中央からひざまでの長さの2倍を輪にしましょう。両脚用に長い輪が2つ、腕用に少し短い輪が1つとなります。

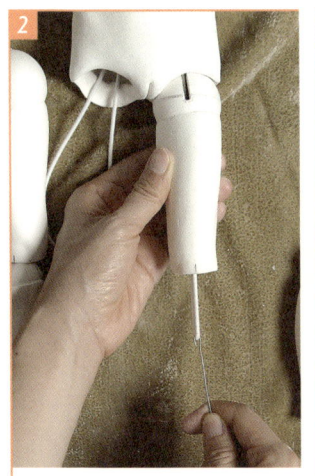

2
頭から脚までつなげます。両脚ともそれぞれ、ゴムの端をゴム通しのフックに掛けてボディ、大腿部を通します。

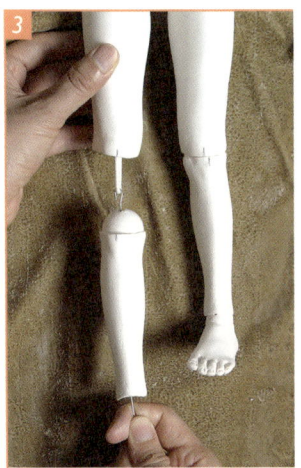

3
すね部分を通します。

4
最後に足首のフックに輪を引っ掛けます。もう片方の脚も同様につなげましょう。

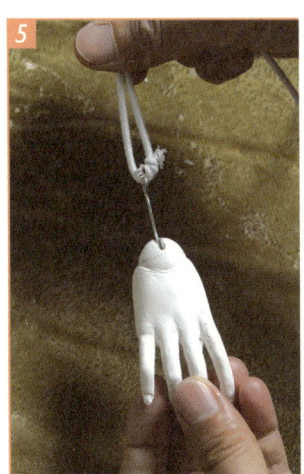

5
腕は、一つのゴムの輪で両腕をつなぎます。ゴムの結び目を一方の手首のフックに掛けます。

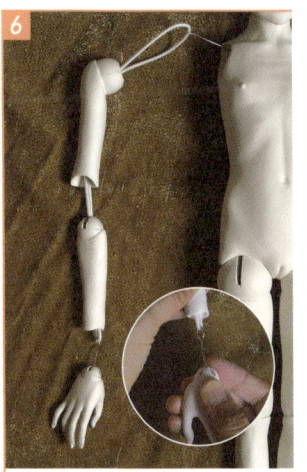

6
足と同じ要領でゴムをひっぱり左右の腕パーツをボディを介してつなげ、反対側の手首に引っ掛けます。

❈ Advice ❈

以上で人形の各部が組みあがりました。人形をまっすぐにして立たせて見ましょう。支えなしで立ったり座ったりできるようなら合格です。関節のズレやグラツキがあると、人形の姿勢が安定しないため自立しません。また、全体をつなげてみると違和感や不自然な部分も見えてきます。塗装工程に向けて最後の調整をしましょう!!

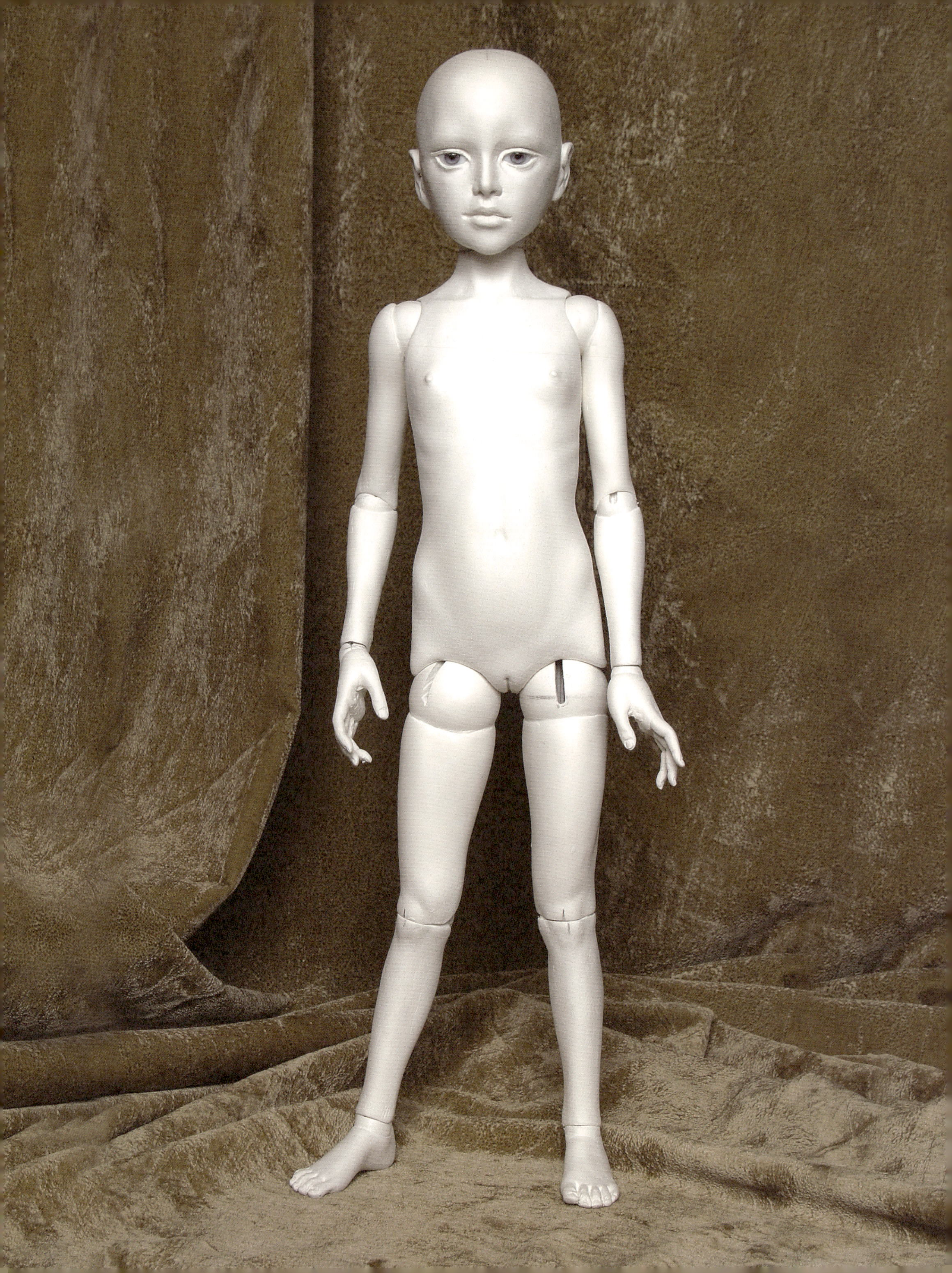

Chapter V

塗装

Painting

§1 下地塗装

Foundation coating

V 塗装

1. 布で拭く　→　2. モデリングペーストの準備　→　3. 塗装（筆塗り）

前章で一度、人形を組み立ててバランスや関節の具合をチェックしました。細部の修正は大丈夫でしょうか？粘土での作業はここで終了して塗装に入ります。まずは下地塗装が大切です。下地を塗装するのに使う塗料として代表的なものは、胡粉、モデリングペーストになります。ここではまず画材店で入手が簡単で扱いやすく、丈夫な下地が作れるため初心者にもオススメのモデリングペーストを使いましょう。塗装方法としては、自宅での作業など、限られた条件の場合には筆塗りでもよいでしょう。下地塗装には粘土の表面の細かい傷を消したり、塗料の厚みでまろやかさを出したり、造形を保護したり、彩色する絵の具の発色を効果的にするという役割があります。

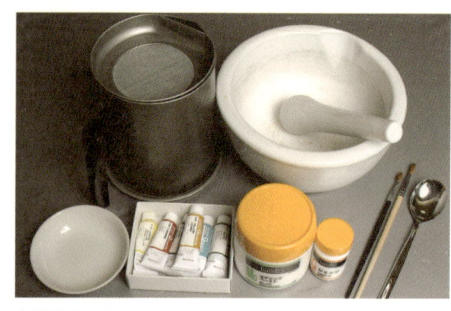

†用意するもの
・油漉し器（細かい目の漉し網、120メッシュ）・筆・布
・乳鉢、乳棒（ボール、スプーンで代用可）・絵の具皿
・水彩絵の具　・モデリングペースト　・ジェッソ　・スプーン

1» 布で拭く
wipe all parts

1　粘土の表面を湿らせた布で拭き、粘土の表面の繊維を寝かせて馴染ませます。

POINT　布で拭くことで表面をなめらかに仕上げ、また目立たなかった磨き傷なども見極めやすくなります。

2　各パーツを拭き終わった順に、割り箸などを使って巻き藁に差して立てます。塗装後に乾燥させる準備となります。

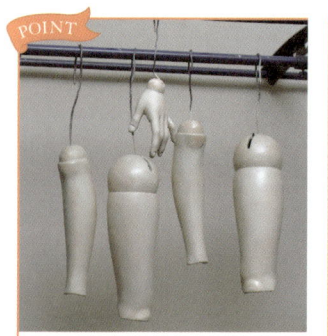

POINT　巻き藁がない場合は太目の針金などで物干しに提げても良いと思います。

2» モデリングペーストの準備
preparing of modeling paste

1　乳鉢にモデリングペースト300ccを出しましょう。乳鉢、乳棒はボールやスプーンで代用してもOKです。

2　次にジェッソ50ccを加えます。

V 塗装

3 水を約150cc加えよく撹拌します。

4 固まりがなくなり滑らかになるまで良く混ぜてください。

5 アクリル絵の具または水彩絵の具を加え、好みのベースの色を作ります。各色を少量混合しています。
イエローオーカー
カーマイン
テールベルト

6 水彩のカーマインを入れます。

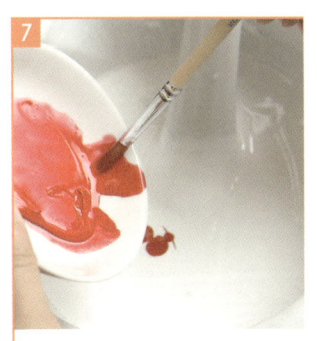

7 溶き皿に絵の具を出して良く溶き、ほんの少量ずつ混ぜてください。色が濃くなりすぎないように注意しましょう。

8 次に水彩のイエローオーカーを少量入れます。

9 必ず少量ずつ入れて丁寧に混ぜていきましょう。今回は簡単な仕上げにするために明るめの色合いにしました。

10 塗料の色合いが決まったら油漉しの容器に移して漉します。塗料の中の塊や不純物を取り除くことができます。

3》 塗装（筆塗り）
coating by brush

1 出来上がったモデリングペーストを絵の具皿に取ります。

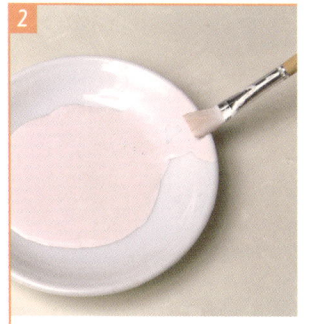

2 筆に塗料を含ませ余分な塗料を皿の角で拭います。筆は柔らかい毛の使い慣れた平筆が良いでしょう。

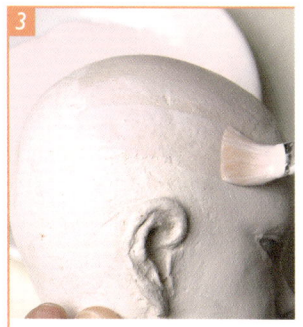

3 1回目は粘土面に塗料がしっかり付くように塗ってください。

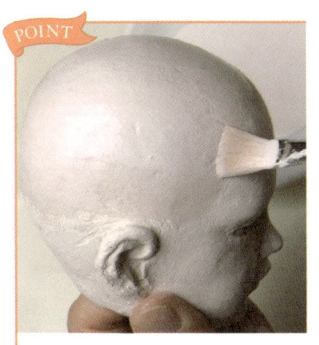

POINT 刷毛目が付かないよう注意して丁寧に塗ります。塗料の濃度が濃いと刷毛目が残りやすくなるので調整しましょう。

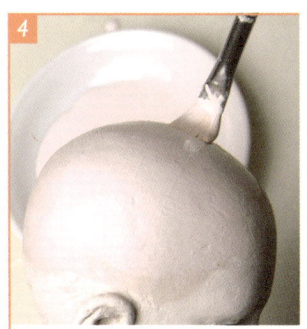

4 乾燥後、塗りを4～5回繰り返してしっかりした下地を作ります。

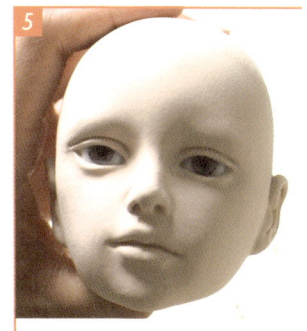

5 最終的に残った刷毛目は極細目のサンドペーパーで磨き、水を含ませて強く絞った布で拭いて仕上げます。

Advice
筆塗りは磨き作業が多く非常に時間も手間もかかります。テクスチャ表現で味を出したいときにはよいかもしれません。柔らかい筆の方が刷毛目（筆跡）が付きにくいです。薄くムラのある塗装だと、上に塗る油彩の質感、発色に影響がでます。

81

§2　下地塗装（上級編）

Foundation coating (Advanced)

V 塗装

1. 胡粉を練る → 2. 胡粉をミキサーで溶く → 3. 塗装（スプレーガン）
             → 2. 胡粉を乳鉢で溶く → 3. 塗装（筆塗りP.81参照）

前節では自宅などでも作業しやすく、手に入りやすい素材での下地塗装を解説しました。しかし私の場合は、塗料には胡粉を使い、塗りは筆ではなくスプレーガンを使用しています。胡粉は人形の肌の塗料として日本で古くから使われてきました。雛人形、五月人形、市松人形など、職人さんの手によって作られたほとんどの人形の肌が、貝の粉末である胡粉（ごふん）と膠（にかわ）（ゼラチン質の接着剤）で練った塗料によって仕上げられています。（ちなみに、これらの日本人形は胡粉を厚く塗った後、刀で目を切り開き、鼻や口を造形する「胡粉彫刻」ともいえる技法です。）私は地塗りだけを胡粉塗装し、上塗りは複雑な色合いの可能な油彩絵の具を使用します。胡粉には、ミキサーで溶く方法と乳鉢で溶く方法の2通りがあります。

† 用意するもの
・胡粉
・木工用ボンド
・油漉し器
・乳鉢、乳棒（ボール、スプーンで代用可）、またはミキサー
・絵の具皿
・水彩絵の具
・筆
・スプーン
・水

1》 胡粉を練る
knead GOFUN (shell powder)

1 胡粉を練ります。乳鉢に適量の胡粉を入れます。

胡粉（ごふん）→P.94
最上級の胡粉は箱に入った「水飛胡粉」というきめが細かく真っ白で高価なものですが、地塗りには向いていません。地塗りには、比較的粒子が粗めの胡粉を使ってしっかりした厚目の塗装膜を作ることで、素材の保護や肌の質感を柔らかくすることができます。

2 今回の人形の大きさで大匙山盛り3杯の木工用ボンドを胡粉に加えます。木工用ボンドは膠の代わりになります。

3 胡粉液の出来上がり量はボンドの量で決まります。ボンド大匙山盛り1杯で約40～50グラム程度です。

膠（にかわ）
今回の解説では接着剤として、扱いやすい木工用ボンドを使用しています。膠は低温で固まってしまうため冬場は湯せんしながら使う手間がかかります。またいい加減な使い方をするとひび割れることもあり、使用にある程度の熟練が必要なためです。

4 乳棒をボンドに浸けて、浮かすように回転させ、ボンドと胡粉を絡めるようにし、ある程度混ざるまで回し続けます。

5 このとき力を入れすぎるとボンドがバラバラになってしまいます。混ざって一つの塊状態になるようにしてください。

V 塗装

6 ボンドに胡粉が混ざって塊状態になったら、お餅つきの要領で胡粉の粉を塊に打ち込みます。

7 2つ折りに重ねてまた胡粉を打ち込む作業を繰り返して、胡粉を練りあげていきましょう。

8 手の平で練っても結構です。

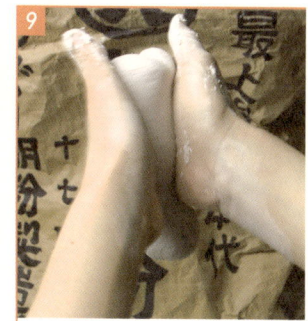

9 ある程度練れてきたら両手で回して伸ばします。

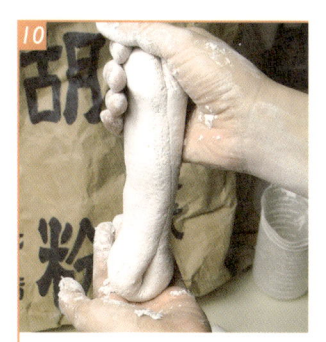

10 写真のように伸ばしたら、

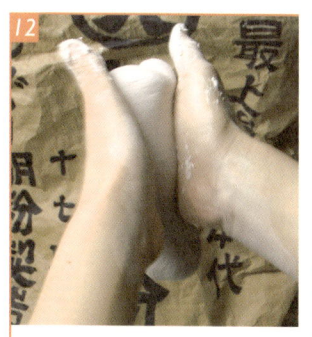

11 2つ折りにして

12 また両手で回して伸ばします。これを繰り返しましょう。

13 ギューと力を入れて胡粉の塊を握って指に付いてくるようだと、接着剤が多く胡粉が不足している状態です。

14 更に胡粉を打ち込んで練り上げて、手に付かなくなるまで良く練ってください。

2» 胡粉をミキサーで溶く
dissolve GOFUN in a blender

1 ミキサーを用意します。練りあがった胡粉の塊を小さくちぎってミキサーに入れます。

2 お湯(50℃程度)約50ccを加えてミキサーを2〜3分回し、クリーミーな液状にします。

3 絵の具皿に水彩絵の具を溶き、少量ずつ混ぜます。

POINT 一度にたくさん絵の具をいれないように気をつけてください。少量でもかなり濃く色が出ます。

4 少しずつ絵の具を入れてはミキサーを回して混ぜて、好みの色にしてください。色が濃くなりすぎないように注意しましょう。

5 ポタージュスープのようなとろみのある濃度にしてください。

83

V 塗装

2» 胡粉を乳鉢で溶く
dissolve GOFUN in a mortar

1 胡粉の塊を適当な大きさにちぎって乳鉢に入れます。お湯に10分ほど浸けて柔らかくなるのを待ちます。

2 お湯を全て捨てます。乳棒で叩いたり、回したりして、固まりをつぶしていきます。

3 液状になるまで続けます。

4 スプーンなどで少量ずつお湯を足しては混ぜていきます。

5 クリーミーな液状に仕上げましょう。

6 水彩絵の具を混ぜて好みの色にします。

7 少量ずつ混ぜて濃くなりすぎないように気をつけましょう。

8 油漉し器で胡粉液をこして不純物を取り除き完成です。

6 油漉しの容器（細かい目の漉し網120メッシュ）を使って胡粉液を漉して不純物を取り除きます。

Advice
ミキサーを使って溶くと簡略ですが気泡が出やすくなるため、塗装にはスプレーガンを使いましょう。胡粉は筆塗りでも塗料として使用できます。その場合は極力気泡を作りたくないので、乳鉢で溶いて使用してください。

3» 塗装（スプレーガン）
coating by spraygun

スプレーガン →P.94
スプレーガンは非常に高価ですが、人形の塗装にもっとも向いています。塗料はモデリングペーストでも胡粉でもよいです。スプレーガンの口径は1.0mmを使用します。0.3mm位の細い口径のエアーブラシ等ではすぐに詰まってしまいます。今回は人形教室の塗装スペースで作業しました。必ず換気の良い場所で使いましょう。

1 人形教室の塗装スペースは、家庭用の台所換気扇の下に板や段ボールで囲いを作った簡易的なものです。

2 下地に使う塗料（モデリングペーストや胡粉）は薄すぎず、トロっとしたポタージュスープのような濃度で使います。

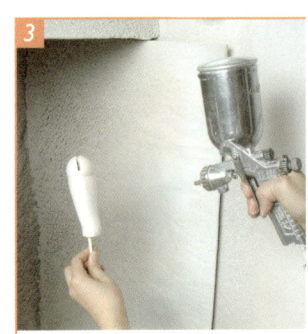

3 まず塗るパーツから20～30cm離して上から下へスプレーガンを動かして塗ります。

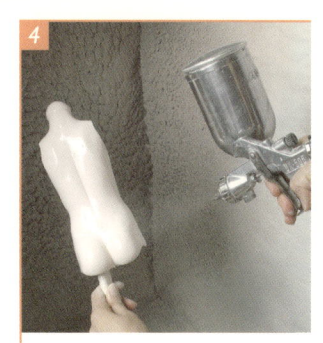

4
パーツを少し回転させてまた塗ります。1回転して側面が塗れたら上下方向からもスプレーします。

6
各パーツ、4～5回塗り重ねてまろやかな厚みが出来るようにしてください。

7
眼球部分に付着した塗料を、筆を使って水をつけて柔らかくします。

5
塗り残しのないように各方向からスプレーしましょう。
各パーツを順番に塗装しては、巻き藁に刺して乾燥させるのを繰り返します。

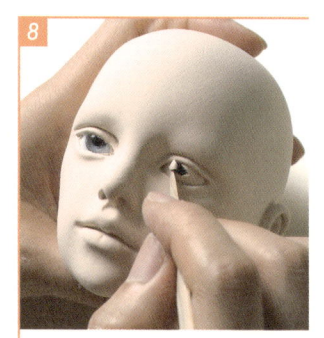

8
水でふやけた塗料を竹べらで取り除きましょう。

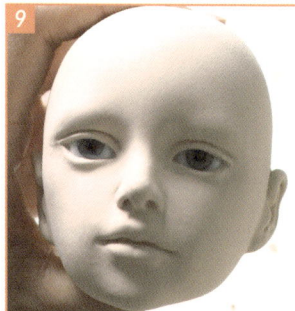

9
塗料が垂れたり、荒れてザラ付いた部分、刷毛跡などはサンドペーパーで調整してください。

❧ Advice ❧

滑らかな表面に仕上げるには、塗料が表面に溜まって膜になっている状態に塗るのがベストです。スプレーガンが近すぎたりスプレー量が多すぎると、流れて垂れたりエアーの風紋が出来たりします。逆に離しすぎでスプレー量が少ないとザラザラした肌になります。筆で塗る場合と同じように、スプレーガンで塗る場合にも、薄くムラのある塗装だと、上に塗る油彩の質感、発色に影響がでます。しっかり重ねて塗りましょう。

Ⅴ 塗装

§3 肌をつくる

Create skin

V 塗装

1. 絵の具を混ぜる　2. 色下地を乗せる　3. 色味を乗せる　4. 細部の彩色

肌色ってどんな色でしょう？ あらためて自分の肌を観察すると極めて複雑です。肌の表面だけを見ても日焼けした部分、日に当たらない部分では違います。皮膚の下には血管や脂肪、さらには人種による色、質感の違いもあって「肌色」として一色の絵の具を塗るだけでは単純すぎると思います。人形の肌を作る上でも下地の作り方、絵の具の色の重ね方などを工夫すれば、一様ではない個性的な肌を作ることが可能です。粘土の人形にはパステル、水彩、アクリル、油彩などの絵の具を使えますが、ここでは、油彩を使って肌の彩色をしていきましょう。前節では下地を塗装しましたが、下地の色によって彩色の色も変化してきます。今回は少し青白い透明感のある肌に仕上げてみましょう。

†用意するもの
・油絵の具
・溶き油
・スポンジ
・筆
・ペーパーパレット
・パレットナイフ

1» 絵の具を混ぜる
blend colors

1　絵の具皿に少量の溶き油（ペインティングオイル）を用意し、ペーパーパレットに絵の具を出します。

絵の具　→P.94
ここで使用した絵の具の色は、ローズグレー（濃・淡）、ミストグリーン、ファンデーションホワイトの1-day dry（速乾性の油彩絵の具）、ローシェンナー、ローアンバー、デイビスグレイです。作る人のイメージする微妙な色合いなどもあると思いますので、色はあくまで参考としてください。

2　まずホワイトにローズグレーを混ぜて濃い目のピンクを作ります。全身に塗る量を作るので、パレットナイフで混ぜましょう。

3　絵の具の伸び具合を確認しながらペインティングオイルを混ぜます。混ぜすぎると光沢が強くなり、乾燥も遅くなります。

4　次に、青白さを出すためにミストグリーンとホワイト、そしてペインティングオイルを混合します。

2» 色下地を乗せる
put the foundation

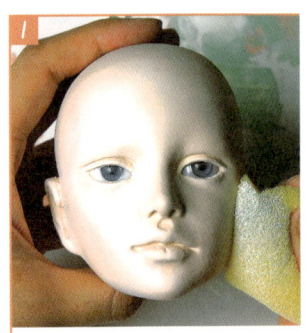

1　色下地として、出来上がった絵の具のグリーン系をスポンジで塗ります。軽くたたくようにしながら薄く伸ばします。

スポンジ

スポンジは手芸店で売っているクッション用を使いやすいサイズにカットした物を使用しています。化粧用のスポンジでも良いと思います。

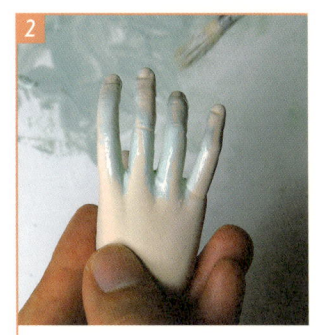

2 手足の指の間や関節の溝など、細かい部分は始めに筆で塗りましょう。

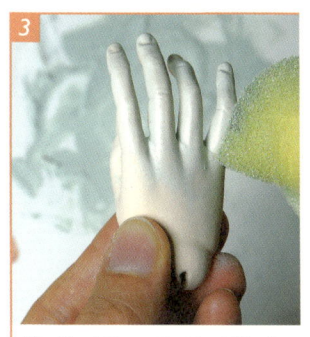

3 筆で塗った後にスポンジでよく伸ばしてください。

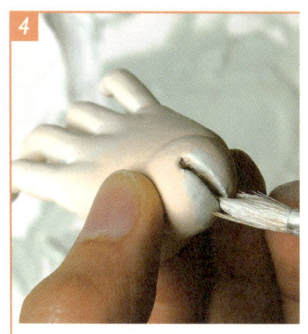

4 関節の溝も同様に筆で塗った後に、スポンジで伸ばしましょう。

Advice

下地の色が透けて見えるようにしましょう。厚塗りにならないように注意しつつ、若干強弱をつけてください。色を重ねたとき、次に赤味を乗せたときのことを考えて塗っていきます。あくまで下地なので、この段階ではまだ人の肌の色と離れていても構いません。

3 » 色味を乗せる
put the colors

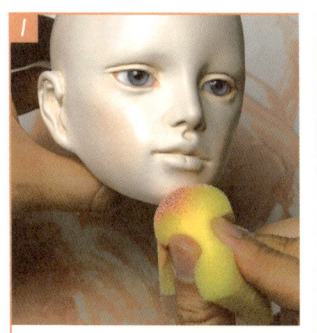

1 赤味を乗せて肌の血の気を再現します。ローズグレーとホワイトを混ぜたピンクをグリーンと同じ要領で塗ります。

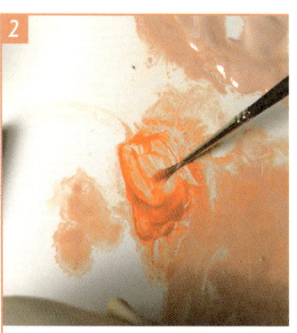

2 赤味を強くしたい部分には、ローズグレーの絵の具を直接（ホワイトと混ぜないように！）伸ばして塗ります。

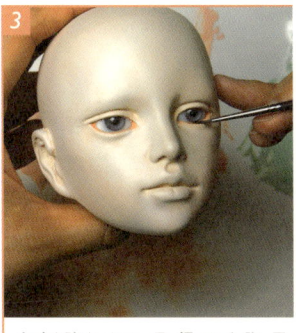

3 赤味を強くしたい、目・頬・アゴ・胸・尻・ひざ・ひじ・くるぶし・指先などに混色していないローズグレーを塗りましょう。

4 細かい部分は、筆でぼかしながら自然な感じに調整してください。

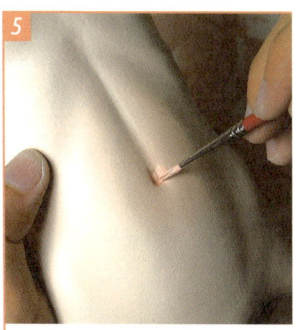

5 同様に、赤味を強くしたいへその部分も直接ローズグレーを塗り、筆でぼかしていきます。

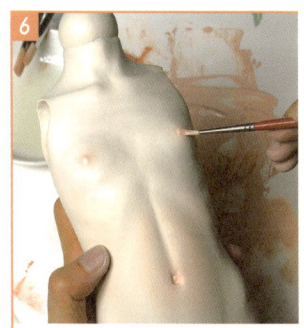

6 胸も同じ要領で塗りましょう。

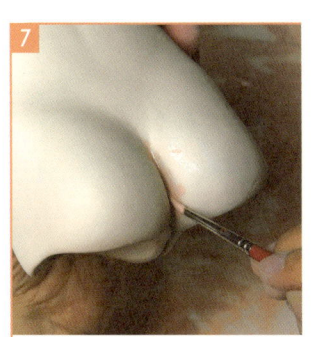

7 影になる部分もぼかしていきます。

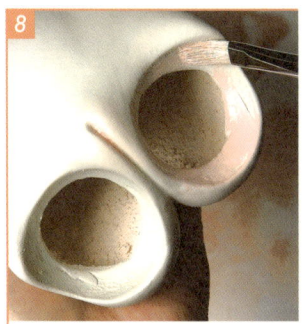

8 場所によって道具を使い分けましょう。関節の受けは平筆を使うと便利です。

9 面積の広い部分はスポンジでぼかしながら、自然な感じにしていきます。

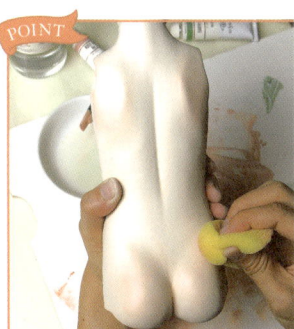

POINT 前に塗った色とのバランスを考慮して、青白さを残す部分は弱めに色を重ねていくとよいでしょう。

V 塗装

87

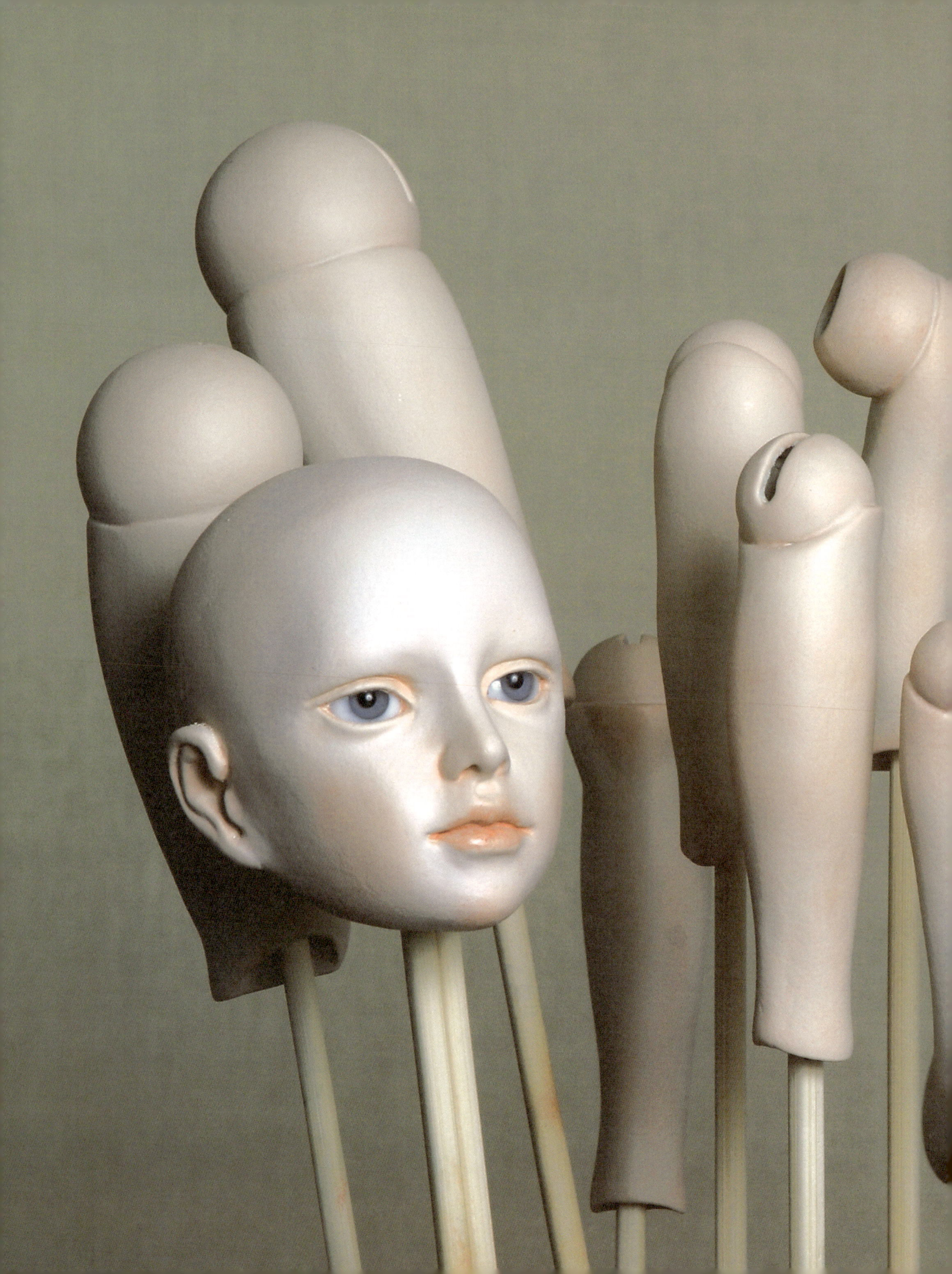

89

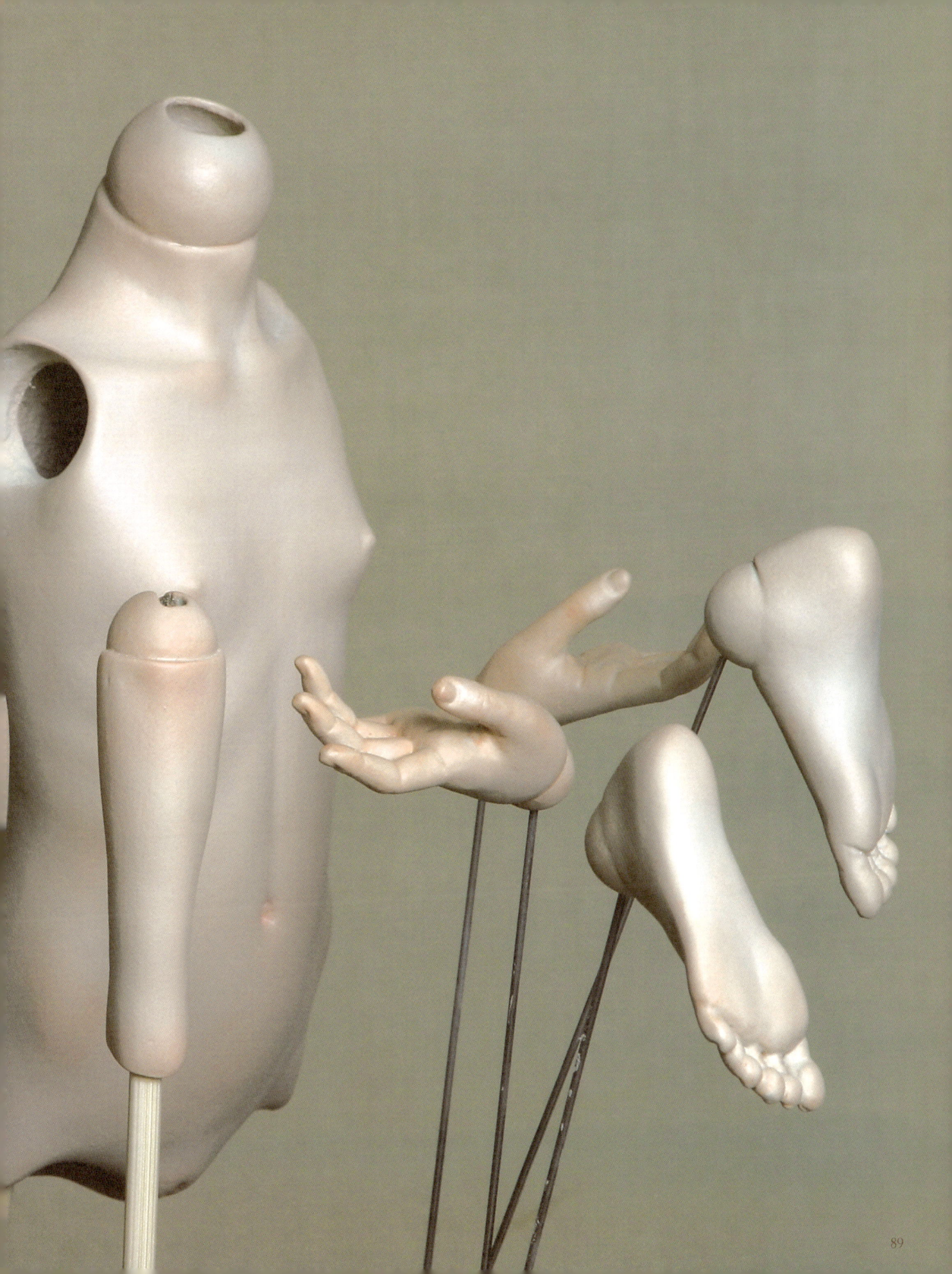

V 塗装

10

上手く彩色できたら乾燥させます。

> ### Advice
> 初めて油彩を使う方は特に、グリーン系を塗った後しっかり乾燥させてからピンク系を塗ってください。速乾性のホワイトを使用しているので通常は1〜2日で乾燥すると思います。速乾剤を混ぜても結構です。油彩は使い方によって様々な表現ができる絵の具ですが、今回はあくまで人形の肌の表現です。薄く伸ばして使うことを心がけてください。厚く塗ったり、オイルを混ぜすぎたりすると乾燥に長い時間が必要になり、それに伴い後々ひび割れが入るなどの弊害が起こることもあるので気をつけましょう。

肌色をつくる

絵の具で人の肌を再現する上で、過去の偉大な画家たちの神業のような仕事はとても参考になります。レオナルド・ダ・ヴィンチ、ラファエロ、ルノワール、エゴン・シーレ…人間を描いた画家たちはそれぞれのイメージする肌を表現するのに苦労したことと思います。油絵の具は薄く使うと下地の色が透ける絵の具ですから、色を重ねることで微妙な肌の表現が可能です。透明感を出すために青、緑、紫、赤などの色で下地を塗ることもあります。そういった工夫を取り入れてオリジナルの肌色を作っていきましょう。

4 » 細部の彩色
paint details

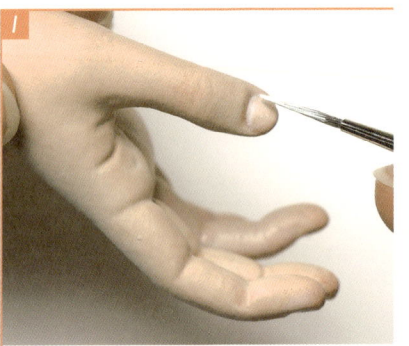

1 絵の具が乾燥した後、顔や体の細部を描き込んでいきます。極細の面相筆で爪を彩色します。

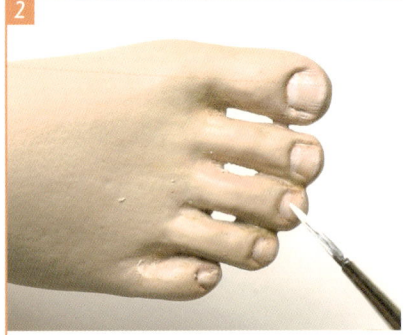

2 足の爪も極細の面相筆を使って彩色しましょう。

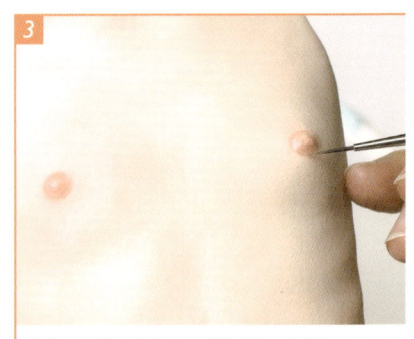

3 乳首も同様に極細の面相筆を使って彩色しましょう。面相筆の筆使いに慣れる必要がありますので、まずは紙に書いて練習してみるとよいでしょう。

4 眉毛、まつ毛も極細の面相筆で彩色します。色は髪の毛の色と合わせてください。まず、眉毛の位置を薄くぼかして描きます。綿棒を使ってもよいです。

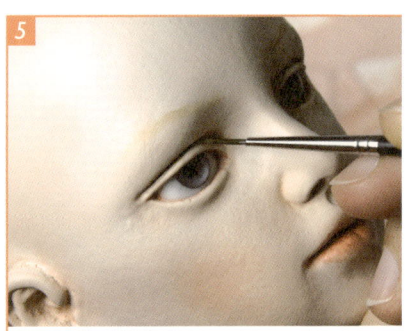

5 まぶたのシャドーにも好みの色で彩色します。

90

6

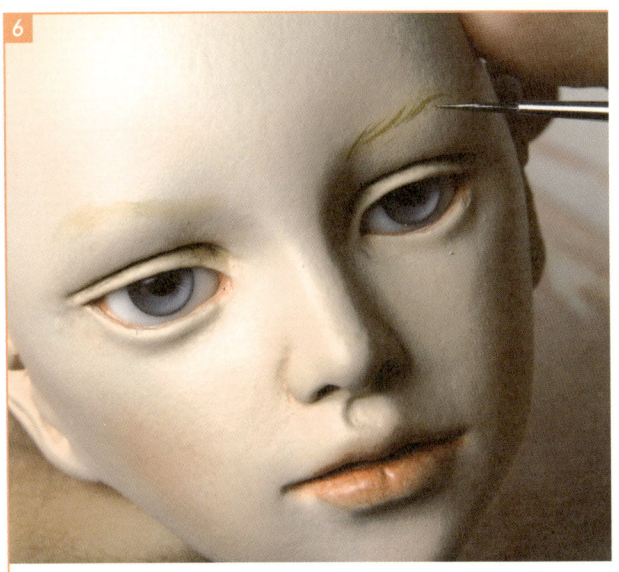

眉毛は、垂れ眉毛、つり眉毛などで表情が大きく出る部分ですから慎重に考慮してください。眉毛と下まつ毛を極細の面相筆で薄く線描します。

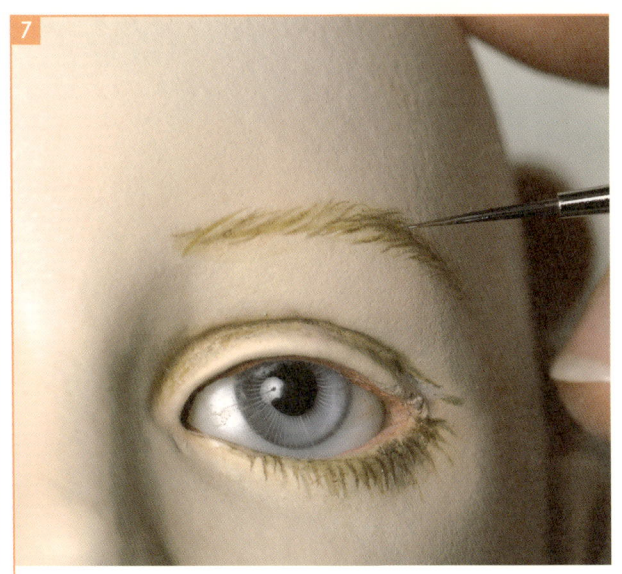

7

乾燥後にもう一度、若干濃い色で線描します。

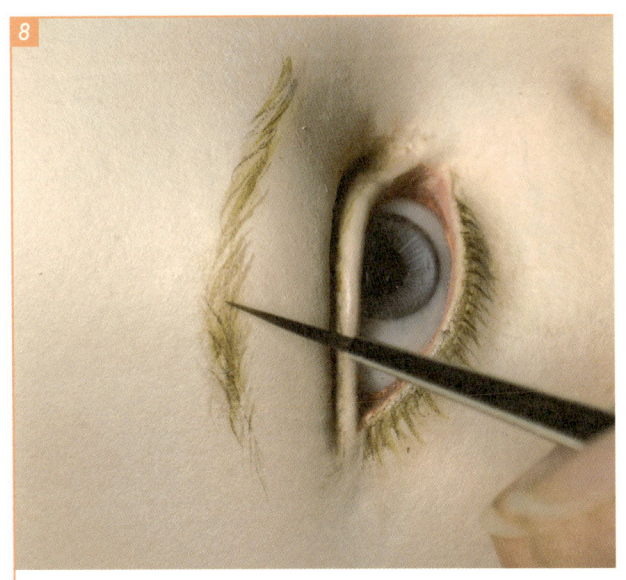

8

細かい作業になります。描きやすい方向に動かしながら線描していきましょう。

9

唇もイメージに合わせて彩色しましょう。

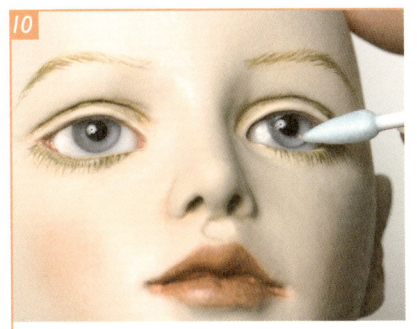

10

最後に洗浄液を少し付けた綿棒で義眼に付着した絵の具を取り除いて完成です。

パステルを使う

今回のように肌色を下地にした場合、パステルを紙に擦りつけ、その粉を化粧筆等でぼかしながら彩色する方法もあります。乾燥時間が不要なため手早く作業ができます。深みのある色合いを出すのが難しく、粉末状なため色が定着しづらいのが難点ですが、初心者には手軽でオススメです。

Advice

彩色は化粧と共通します。絵の具を化粧品だと思って使うとよいでしょう。女性にとっては日常のこと。唇、爪は自然な描写にするのか、口紅、マニキュアをつけた状態にするのか…。唇も濡れた感じや、強い光沢が必要でしたら乾燥後に透明マニキュアを塗ると効果的です。最後の仕上げを楽しんでください。

Ⅴ 塗装

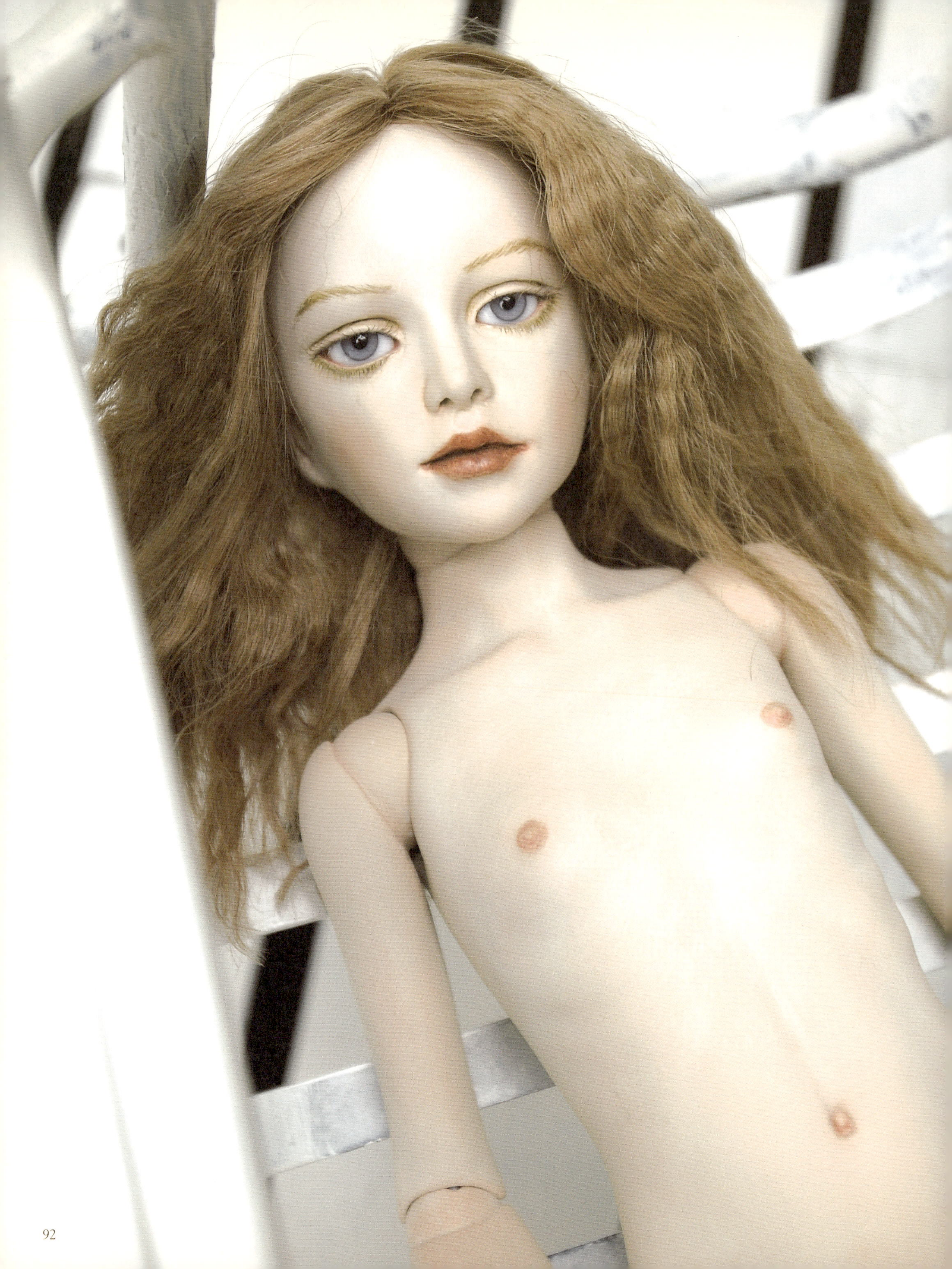

93

アクリルジェッソ

どんな絵の具でも上から使えるアクリルポリマーエマルションの白色下地剤。絵の具の定着と発色を助けます。ただし油絵や油性地の上に使うと剥離する場合があります。市販の格安キャンバス地の塗りはほとんどこれです。

モデリングペースト

アクリルポリマーエマルションの水性製品で、粘りの強いパテ状の白色ペーストです。地塗り・盛り上げ用として使用します。柔軟性と耐久性にすぐれています。

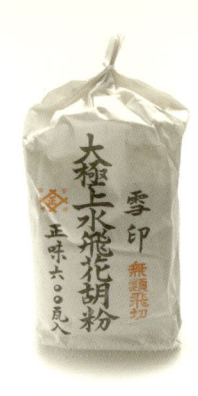

胡粉

貝の殻を精製した粉末で、日本画の代表的な画材です。白の絵の具として使うだけでなく、下塗りにも使用します。私は業務用の地塗り胡粉を使用していますが、これは小分けした状態ではあまり一般販売されていません。日本画の材料を扱う画材店で伊印、雪印の袋入りの胡粉を入手できると思います。

水彩絵の具

不透明で艶のない水彩絵具で、水の加減によって油絵具に近い厚塗の効果や淡彩調の表現が可能です。また色彩が鮮明で塗り重ねても亀裂や下の色がにじみ出ることなく安心して制作ができます。

アクリル絵の具

下層を覆い隠す不透明画技法に用いられます。一般的な不透明水彩と考えて良いでしょう。水溶性ですが乾燥すると耐水性になります。仕上がりは艶のない発色です。ここでは下地塗料の着彩、仕上げの塗装・メイクなどに使用します。

油絵の具

透明〜不透明まで様々な色展開があり、重ね塗りができ、深みがあって独特の透明感があるのが特徴。油の上に水は乗らないので、複数種類の画材を併用する際は油彩は最後に使用しましょう。仕上げの塗装・メイクなどに使用します。

パステル

仕上げのメイクに使用する固形顔料です。カッターなどで削り、粉末状にした物を布や筆などで擦りつけて使用します。定着剤をかけても落ちやすいのが難点ですが、失敗のリカバーが容易なことと、淡い色味と自然なグラデーションが手軽に再現できるのが長所です。

スプレーガン

吹きつけ塗装をするための道具です。先端のノズルから空気を吹き出すことで塗料を霧状に噴射します。スプレーガン自体は1万2〜3千円程度ですが、エアの供給源としてコンプレッサーが別に必要で、簡易タイプならば数万円、本格的なタイプになると百万単位の高価な物となります。

Chapter VI

髪
Hair

§1 髪を貼る

Put hairs on

VI 髪

1. 段貼りの準備 → 2. 1段目 → 3. 2段目、3段目

人形の髪には糸状であれば多くの物が利用できます。自分で好きな材料を好きな色に染めたりするのは楽しいものです。基本的な髪の貼り方は、頭の上に向かって放射状に段々に貼っていきます。ショートヘアは地肌が透けやすくなるので段貼りを多くします。ヘアスタイルに合わせて髪の貼り方を工夫しましょう。今回は市松人形の髪付けから学んだ方法もあります。生き人形や蝋人形は髪が1本ずつ植えつけてあったりと、過去の職人の緻密な技術には驚愕するのみです。色々調べて先達の技術も取り入れてみると面白いでしょう。ただ、ヘアスタイルは様々ですし、カツラを発注して被せるのもひとつの方法です。

† 用意するもの
・髪材料 ・木工用ボンド（速乾性の物）
・筆記用具 ・Gクリヤー ・ハサミ ・タイル
・ブラシ、クシ ・コテ

1»

段貼りの準備
prepare to put the hairs on

人形用の髪の毛

写真は人形用の髪の毛として販売されている材料です。左より人髪ウェーブみの、人髪ストレートみの、モヘア、絹スガ糸（白・黒）、化繊人形ヘア（ポリエステル・レーヨン）、人髪カツラなどがあります。最近は人形用の髪の毛の材料やウィッグをネット通販などでも手軽に入手できます。今回は人髪の「みの」という材料を使用しました。「みの」は、繊維の片側をミシンで縫ってある材料です。単に糸状の材料を使う場合は、接着剤で「みの」の状態を作ってから使用する必要（P.98参照）があります。

1 まず人形の頭に材料をあててイメージをチェックします。今回は分け目とつむじのある中心分けのヘアスタイルです。

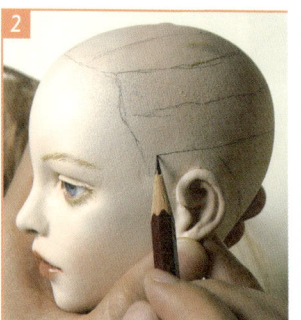

2 基本的には4～5段ほど段々に、帯状にヘアを接着します。今回は分け目のある頭部の中心まで5段で貼ります。

3 頭にヘアを接着する位置とつむじのガイドラインを書きましょう。

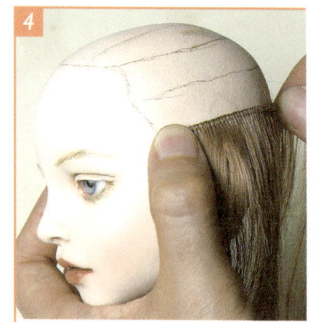

4 接着するラインに「みの」を当てて長さを測ります。

5	6	7	POINT
この長さで2枚カットします。みの1枚では薄く透けやすいので、2枚重ねて貼る必要があるためです。	下から1段目を測って2枚カットしたら、2段目を同じ要領で測って2枚カットしましょう。	3段目も同じように2枚カットします。今回は下から3段目までは、みのを各段2枚ずつ貼ります。	「みの」のミシン目部分は片側が短くなっています。短い方が髪の裏側で、接着する側になります。

2 » 1段目 / 1st row

1	2	3
最初の段に木工用ボンドを筆で薄く伸ばして塗ります。うなじの生え際まで塗ってください。	1枚目の「みの」をラインにあわせて接着します。「みの」の裏表に注意して貼りましょう。	このとき「みの」裏表逆にすると短い髪が表に出てきてハネてしまうことがあります。

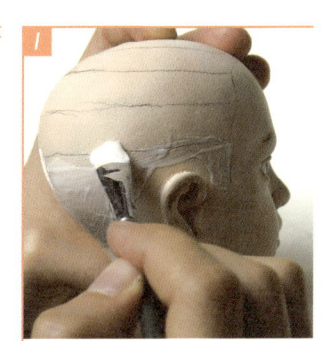

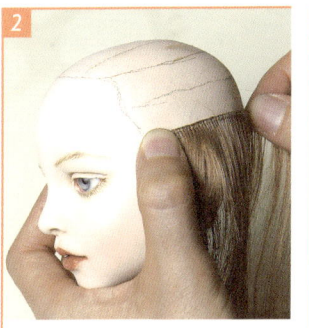

4	5	6
接着したらボンドが乾く前に髪の流れを整えます。	1枚目を貼ったすぐ上に接着剤を塗り、2枚目を重ねて貼ります。	1枚目とミシン目をずらして貼ってください。

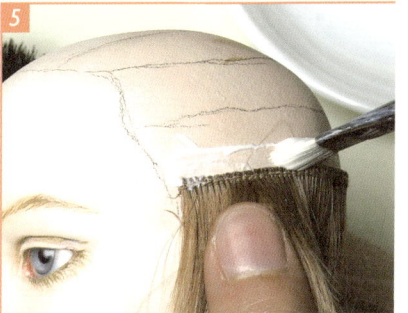

3 » 2段目、3段目 / 2nd & 3rd row

1	2	3
2段目を貼ります。接着剤を1段目のミシン目まで塗りましょう。	2段目の1枚目の「みの」を貼ります。2枚目も1段目の2枚目と同じように重ねて貼ってください。	同じ要領で3段目も2枚重ねて貼りましょう。

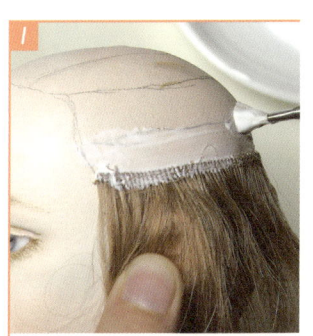

VI 髪

§2 頭頂部

Top of the head

1. みのをつくる → 2. 4段目に貼る → 3. 分け目 → 4. つむじ

下から3段目まで「みの」を貼り終えました。ここでは4段目、5段目の頭頂部の作業です。4、5段目は「みの」のままで貼ると透けやすく、ミシン目も目立ってしまいます。そのため、髪の量の厚い「みの」を作り直す必要があります。作り直した「みの」を頭頂部に貼って分け目を作ります。つむじは、Gクリヤーで髪の束を接着して作ります。ピグマリオン教室での主流のやり方です。分け目やつむじをつくるには他にも、頭部に髪束が差し込める穴をあけて処理する方法があります。その場合は、事前に分け目やつむじの位置に溝や穴を開けておき、その溝や穴に毛束を差し込んで接着して分け目やつむじを作ります。

† 用意するもの
- 髪材料
- 木工用ボンド
- 筆記用具
- Gクリヤー
- ハサミ
- タイル
- ブラシ、クシ
- 電気ゴテ、半田ゴテなど

1» みのをつくる
make MINO

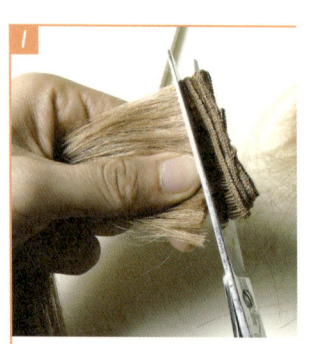

1. まず30cm程度の「みの」を4つ折にしてミシン目をカットします。

2. クシやブラシで短い髪を取り除き、厚みを均等にします。

3. ブラシで厚みを均等にしているところです。

4. ヘラを使い、タイル上でボンドのラインの手前側（点線ライン）を揃えながら何度もしごくようにボンドを擦り込みます。

5. 熱した手芸用の電気ゴテや半田ゴテで固めます。自然乾燥でも時間はかかりますが同じように仕上がります。

6. 裏側もボンドを擦り込み同様に処理します。ボンドがよく浸透していないと抜け毛の原因となります。注意しましょう。

7. のりしろを5mm程度残してカットします。

8
両端を斜めにカットします。ボンドをつけるとき、ボンドのラインをまっすぐ揃えると、このようにきれいになります。

2 »
4段目に貼る
put MINO on the 4th row

1
出来上がった髪束を4段目に貼ります。

3 »
分け目
part

1
分け目に貼ります。分け目となる中心線の片側にボンドを塗ります。

2
特に厚めの髪束を、分け目の位置で今までと反対向きに貼ります。

3
ボンドをコテで固めますが、自然乾燥させてもよいです。

4
反対向きに貼った髪束ののりしろの上にボンドを塗ります。

5
その上から、通常の向きにも髪束を貼ります。

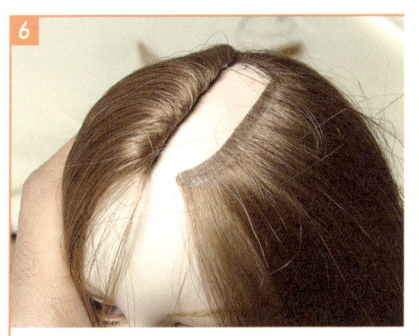

6
反対向きに貼った髪束を折り返します。

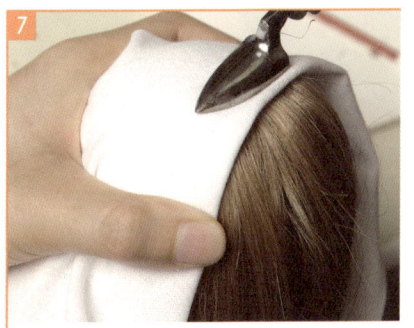

7
あて布を置いて折り返した分け目にコテをあてます。普通のアイロンでも構いません。

8
反対側も同じ要領で仕上げていきましょう。まず、ボンドを塗ります。

VI
髪

99

VI
髪

9
分け目の位置で反対向きに髪束を貼ります。

10
反対向きに貼った髪束ののりしろの上にボンドを塗ります。

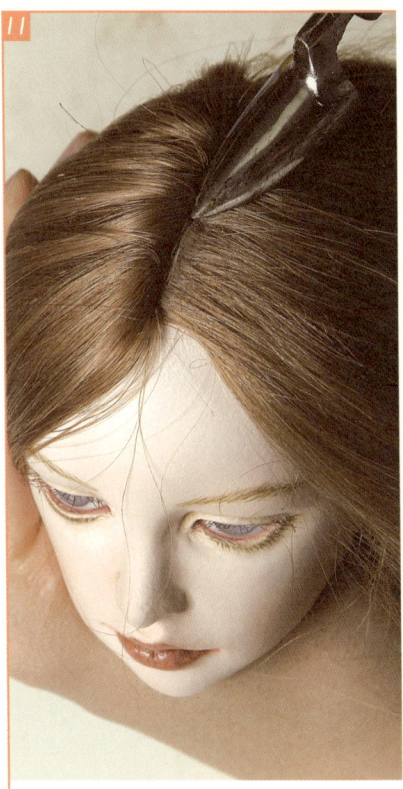

11
通常の向きにも髪束を貼り、コテで押さえましょう。

12
分け目で髪を折り返して整えます。これで分け目の完成です。

4» つむじ
hair whirl

1
適量の髪の束を輪ゴムで結びます。

2
輪ゴムで結んだすぐ上の先端を平らにカットして整えてください。

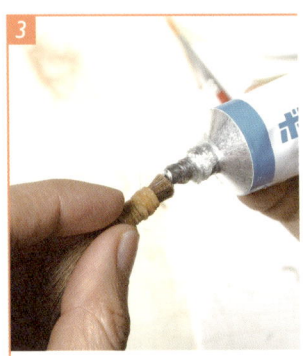

3
カットした面にGクリヤーを塗ります。

4
頭部のつむじの位置にもGクリヤーを塗ります。

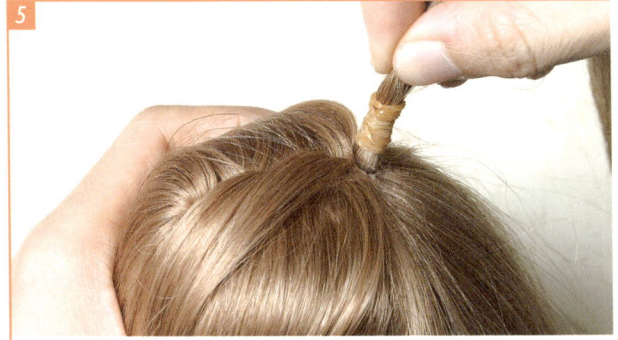

5
接着面を合わせて軽くしごき、面同士を馴染ませます。ここでそのまま接着せずに、一旦離してそれぞれを乾燥させます。

6

手に付かなくなるまでよく乾燥させてから圧着します。接着後、輪ゴムを切って外し、毛束を開きます。

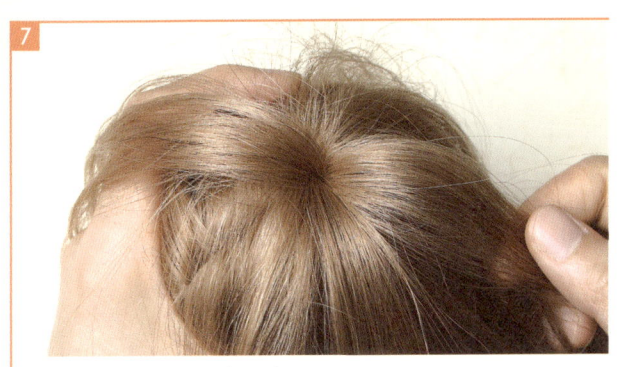

7

指で中心を押さえてつむじを作ります。

8

髪をとかして馴染ませます。

> **Advice**
> 髪の生えている方向と、ヘアスタイルによる髪の流れの向きに注意すると、自然な感じに仕上がります。

VI 髪

埋め込み式

埋め込み式とは、事前に分け目やつむじの位置に溝や穴を開けておき、その溝や穴に毛束を差し込んで接着して分け目やつむじを作る方法です。頭頂部以外はP.96からと同様に作業をします。埋め込み式の場合、分け目になる「みの」の毛束の量が少ないと肌が透けやすくなります。溝の両側のきわにも厚めの「みの」を貼っておいてください。つむじも埋め込み式で作る場合は、頭頂部のつむじの位置に髪束が差し込める穴を開けて同様に処理します。差し込んだ毛束が立ちやすくなりますのでブラッシングして整えた後に当て布をおいてアイロンで調整してください。

1 ※写真は説明用に分け目のみになっていますが、実際は段貼りした状態です
頭部の髪の分け目の位置に、幅2～3mm程度の溝を開けます。溝の開け方はP.71を参照してください。

2 溝の長さにあわせて厚めの「みの」を作ります。（P.98参照）

3 ここでも、両端が邪魔にならないように斜めにカットしておきます。

4 分け目以外の髪を貼り終えてから溝に接着剤を塗って、2枚の毛束を差し込みます。

5 差し込んだ毛束を分けて、分け目を作ります。

6 髪を整えて完成です。

§3 ヘアメイク

Hair arrange

VI 髪

1. スタイリング　　2. まつ毛

髪を貼り終えたら、イメージに合わせてスタイリングをしていきます。熱に弱いなどの素材の特性にだけ気をつけておけば、後は人間同様に整えていけば良いでしょう。まつ毛は長さが揃いすぎないように注意して、ランダムにカットするようにしましょう。目のカーブに合わせてまつ毛の長さを調節すると自然に仕上がります。

†用意するもの
・理髪用のハサミ ・スキバサミ ・剃刀・クシ
・ヘアアイロン・整髪料・キッチンペーパーのホルダー（頭を立てるスタンドにします）

1»

スタイリング
styling

1 まず髪に水や少量のヘアムースを付けてクシやブラシで整えます。肌を汚さないように気をつけてください。

2 好みの長さでカットします。

3 現状ですと髪の量が多いので少し減らしたいと思います。まず、髪をブロッキングします。

4 内側の髪から外側へと剃刀で削いで調整します。

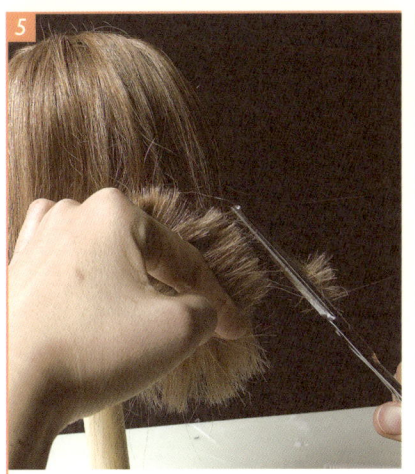

5
髪の先端をスキバサミやハサミで整えます。

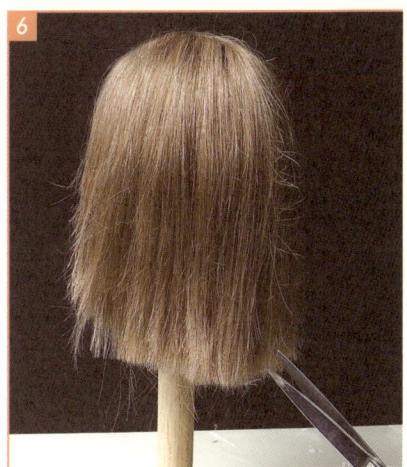

6
ハサミで整えているところです。

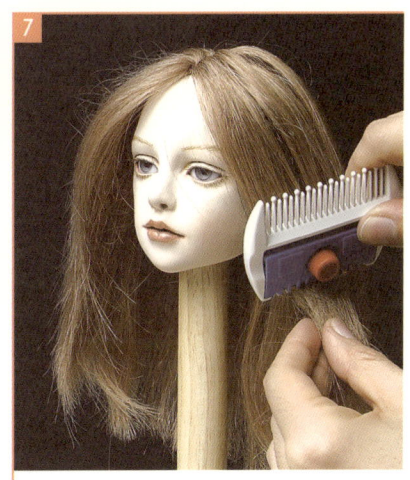

7
顔にかかる前側の髪を短くカットします。

VI
髪

8
ヘアアイロンを使って、ウエーブをつけたりくせ直しをしましょう。

9
ウエーブをつけているところです。

10
最後に毛先を微調整して完成です。作り手のイメージに合わせて好みのスタイルに仕上げてください。

2 » まつ毛
eyelashes

1
今回は、市販の人形用のまつ毛を使い、上まぶたにまつ毛をつけます。まつ毛が長すぎる場合は短くカットします。長さが揃いすぎないように気をつけて下さい。

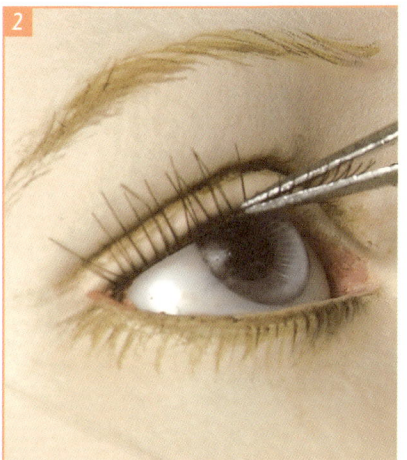

2
長さは目のカーブに合わせて調節すると自然になります。向きや長さの調節をより細かくしたい場合は、まつ毛を1本1本にバラして接着します。

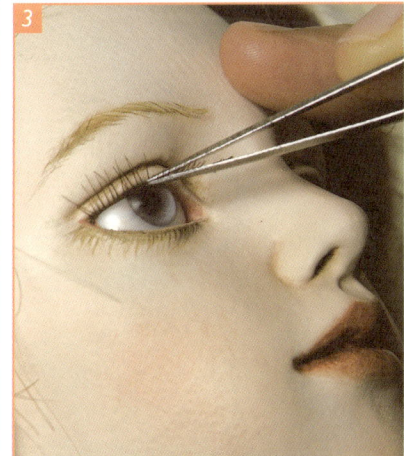

3
木工用ボンドを上まぶたの内側に塗って接着します。まつ毛は非常に細かい上、折れたり癖がつくと厄介です。ピンセットを使うと作業が楽になります。

103

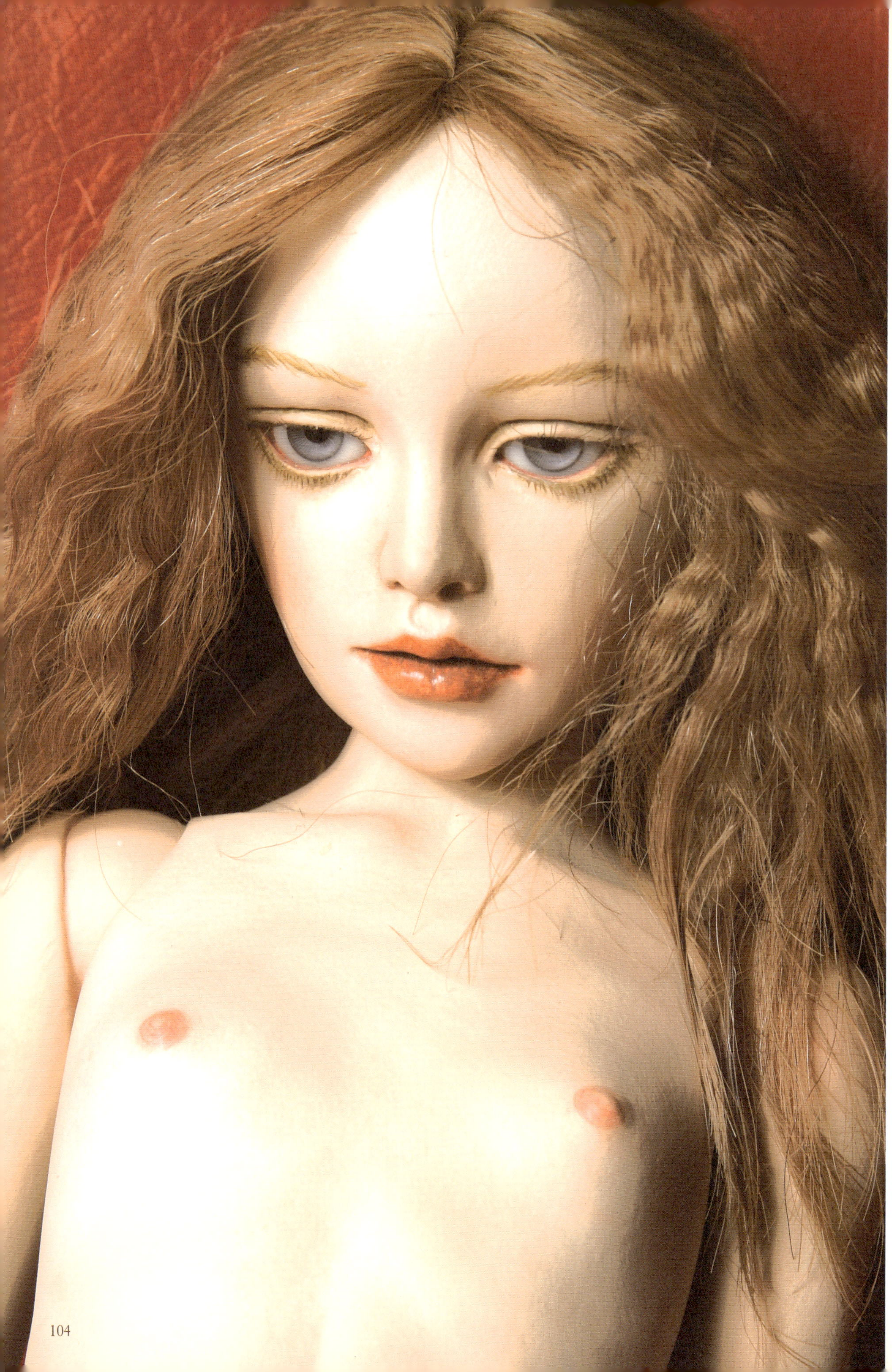

Chapter VII

靴
Shoes

§1 靴をつくる

Make shoes

1. 型紙をつくる　　2. パーツの制作　　3. 組み立て　　4. ストッキング

VII
靴

靴作りの一番のポイントは、つま先部分を綺麗に作ることです。つま先が型崩れして潰れたり、皺だらけではどんな靴も台無しです。今回はつま先を石塑粘土で成形して、その上に革を貼って作ります。この方法なら、つま先のデザインが自由にできますし、薄く柔らかい皮を使っても型崩れしません。同じサイズで類似したデザインの靴をいくつか作るような場合は、人間の靴と同様に木型を作ってしまうこともあります。まずは全体のデザインから決めていきましょう。今回は若干つま先の細い、編み上げショートブーツを作ります。

† 用意するもの
- 革［厚さ0.5mmのなめした黒の牛革／クラフト用2mmのヌメ革（底用）／0.2mm程度の好みの皮（内底用）］
- ハトメ（1.5〜2mm程度の物）
- 革ひも（100cm）
- 粘土（少量）
- ポンチ
- 硬質ゴムの作業板（ポンチ台）
- ハトメ用菊割り・カナヅチ
- ハサミ・カッターナイフ
- 木工用ボンド ・Gクリヤー
- コテ、またはアイロン

1» 型紙をつくる
draw a paper pattern

1 足をビニールで包みセロテープでとめます。

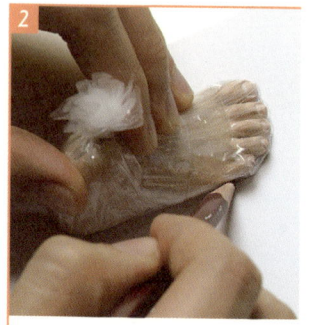

2 ボール紙に足の輪郭を写し取り、靴全体のデザインを決めましょう。

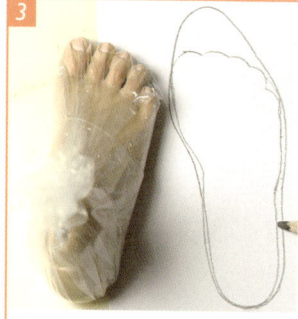

3 靴底の形を決め、ボール紙の内底を作ります。靴底の形を決めればつま先の形も自動的に決まってきます。

4 できた内底をかかとの位置で足裏に合わせます。甲から土踏まずの部分をセロテープで1周させてしっかり止めます。

5 粘土をつけてつま先の形を作ります。

6 粘土が乾燥した後、ヤスリで形を整えます。

7 左右の形、厚みが同じになるようにチェックします。

106

つま先の形

つま先の形は、靴のデザインをする上で大切なポイントです。上下左右からつま先のラインをよくチェックしてください。特に足の甲からつま先にかけてのラインには極端な段差ができないように注意しましょう。

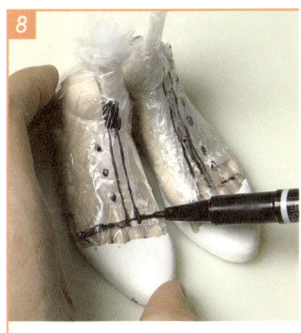

8 デザインに合わせて型紙を作ります。まずはビニール上にマジックで書きます。これにあわせて型紙を取っていきます。

9 つま先部分です。今回は紙で型紙を取りましたが、布で型紙を取って仮縫いするとより分かりやすいと思います。

10 タンと呼ばれる網上げの下になる部分です。

VII 靴

11 側面部。本来は内側と外側で微妙に形が違うのですが、今回は初級編として同じ型紙とします。

12 各型紙を並べるとこうなります。

2» パーツの制作
make shoes' parts

1 まず、外底の革を切り出します。外底の型紙は最初に使った内底と同じ物で、革はクラフト用の厚めの革を使います。

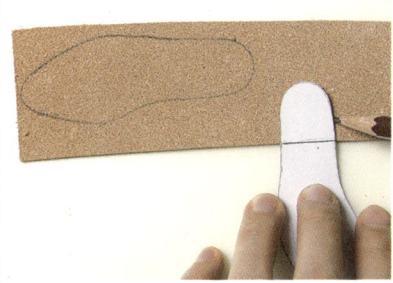

2 ハサミ、カッターナイフ、皮クラフト用包丁などで丁寧に切り出しましょう。かかとは実際のかかとより大きめにカットして、片側3枚ずつの計6枚用意します。

3 底以外は薄い革を使います。型紙を合わせ、縫い代を5mm取り、側面4枚、タン2枚、つま先2枚をカットします。底にかけての縫い代は1cm以上にしましょう。

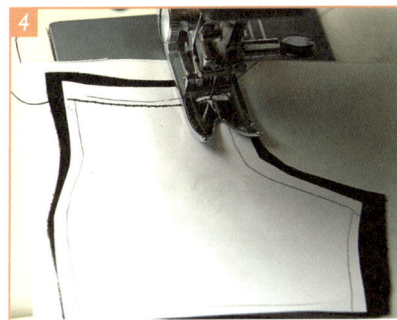

4 側面の革にステッチを入れます。通常のミシンで縫うときは、すべりにくいので型紙を別の紙に写し、2枚の紙で革を挟んでから縫います。

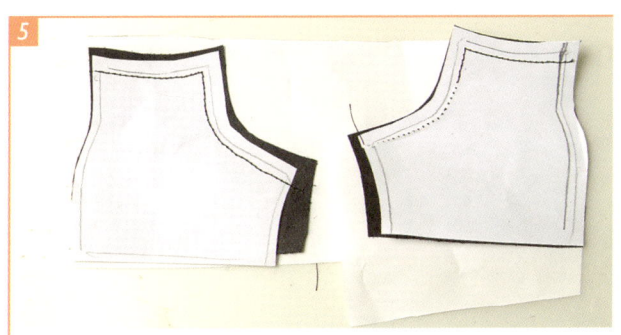

5 写したラインの2mm内側に沿ってステッチラインを縫ったところです。

6 2枚を中表に合わせます。

7 かかと側のラインを縫い合わせます。

107

VII
靴

8. 縫い代を5mm程度で切り揃え、ボンドを付けます。

9. 両側に開いて接着します。

10. ステッチを縫った履き口とハトメを付ける編み上げ側の補強のために、1cm幅程度の革を用意します。

11. 補強用の革に木工用ボンドを塗ります。

12. 補強用の革をステッチにかぶせるように側面の内側に貼ります。

13. 表側からステッチラインのきわ2mmでカットします。

14. カットした状態です。次に側面の型紙に、ポンチで靴ひも用の穴の位置を開けていきましょう。

15. その型紙をあて、革にもポンチでハトメを付ける穴を開けます。位置がずれないように注意しましょう。

16. 穴にハトメを差し込みます。

17. 裏側から菊割りを使ってハトメを割り留めます。

18. ハトメをすべて割り留めました。これで靴ひもまわりができました。

19. 外底を作ります。今回外底に使う厚みの革を3枚重ねてかかとにします。

20 先に、型紙のかかとのラインより大きめにカットしていた革を3枚、Gクリヤーで貼り合わせます。

21 3枚貼り合わせた状態です。

22 貼り合わせたかかとの前方向になる面をナイフでカットして、紙ヤスリで平らに整えます。

23 カットしてある外底にかかとを接着します。

24 かかとが大きめになっていますので、外底のかかと側のラインに合わせてナイフで切り揃えます。

25 曲線のカットは難しいですので、丁寧にしましょう。

26 カットできたら紙ヤスリを使って側面を整えます。

27 足と内底を留めてあるセロテープをハサミで切り、取り除きます。

28 内底の型紙より少し大きめにカットした薄い革を用意します。

29 内底の内側にボンドで貼ります。

30 裏側から余った部分をハサミでカットします。中敷は内側の見栄えのためですから省略しても結構です。

3》

組み立て
assemble

1 つま先部裏側にタンをボンドで接着します。

VII
靴

VII 靴

2 足に内底を履かせます。内底のつま先の表にボンドを塗ってタンの付いたつま先部を貼ります。ここ以降、足と靴は固定しないように気をつけましょう。

3 底側はGクリヤーで接着します。まず底のボール紙と革の接着部にGクリヤーを塗ります。

4 両面が乾燥してから接着します。つま先表面にシワがでないように底側に引っ張ります。

5 底側数カ所にヒダを寄せ接着します。硬めの皮を使う場合は水で濡らすと皮が柔らかくなり、シワの処理が容易になります。

6 寄せてヒダになった部分をハサミで切り落とします。

7 コテを使って底部を平らにします。

8 ハトメに革ひもを通して前を合わせます。

9 後ろの縫い目をセンターに合わせます。

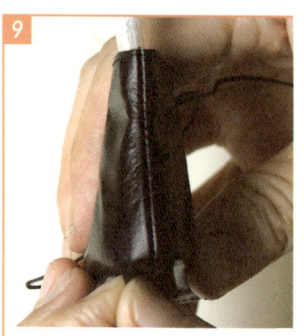

10 前側に引っ張ってデザインのバランスを見極めます。

11 つま先側の革にボンドで接着します。

12 底側に数ヵ所ヒダを寄せるようにして接着部にGクリヤーを塗ります。乾燥させた後、ヒダを重ねて接着します。

13 このとき必ずかかと側からシワが表面に出ないように、注意して接着してください。接着後、余分な革をカットし、コテで底部を平らにしましょう。

14 底部全体と外底の接着面にGクリヤーを塗ります。

15 Gクリヤーが乾燥後に接着します。

16

足を外して完成です。

Advice
底部と外側全体を同色にしたい場合は、この後にアクリルや革用のアルコール系染料で着色し、最後にクリアーのメディウムや水性ニスをコーティング材として塗るとよいでしょう。革の扱いには慣れが必要ですが、こなしていればイメージ通りの本格的な靴が作れるようになります。

4 »
ストッキング
stockings

ストッキング
ぴったりしたものを市販品で見つけにくいのが靴下やストッキング。応用次第でいくらでもバリエーションが作れます。ストッキング生地などの極薄い生地を使う場合は、当て紙を使うか手縫いの方が綺麗に仕上がります。意外と簡単なのでぜひチャレンジしてください。

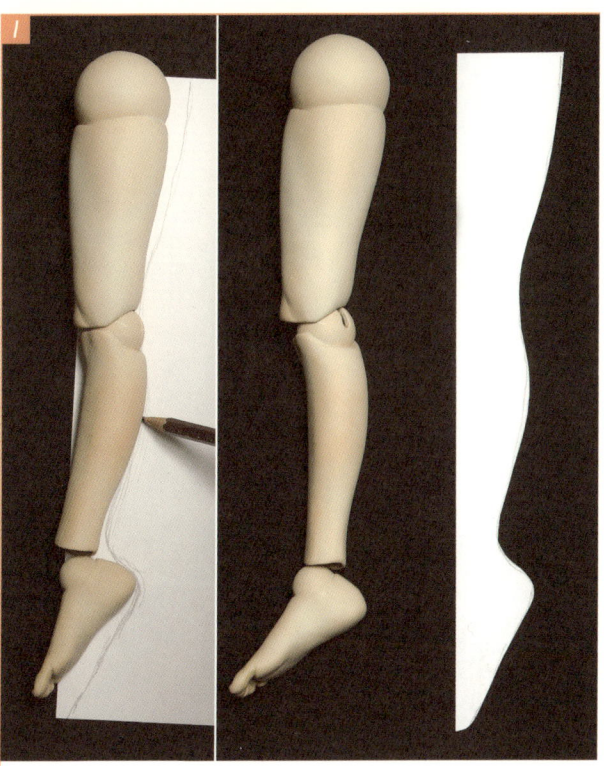

VII 靴

1

足にあわせて型紙をとります。薄い靴下やストッキングの生地を使い、脚の前側にくる方を輪にして後ろ側を縫います。次につま先のラインを縫い、最後に履き口部分を折り返して縫いましょう。

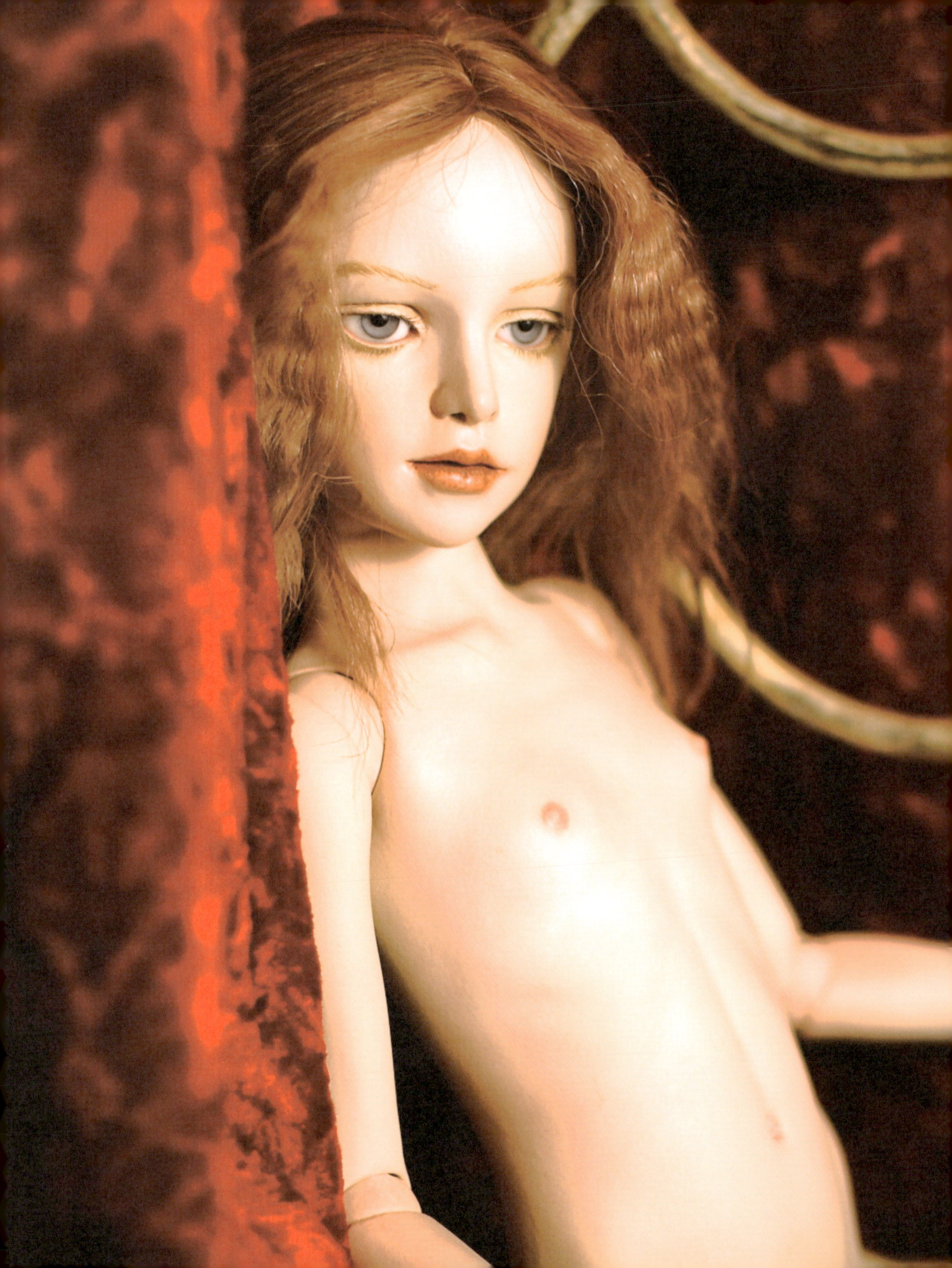

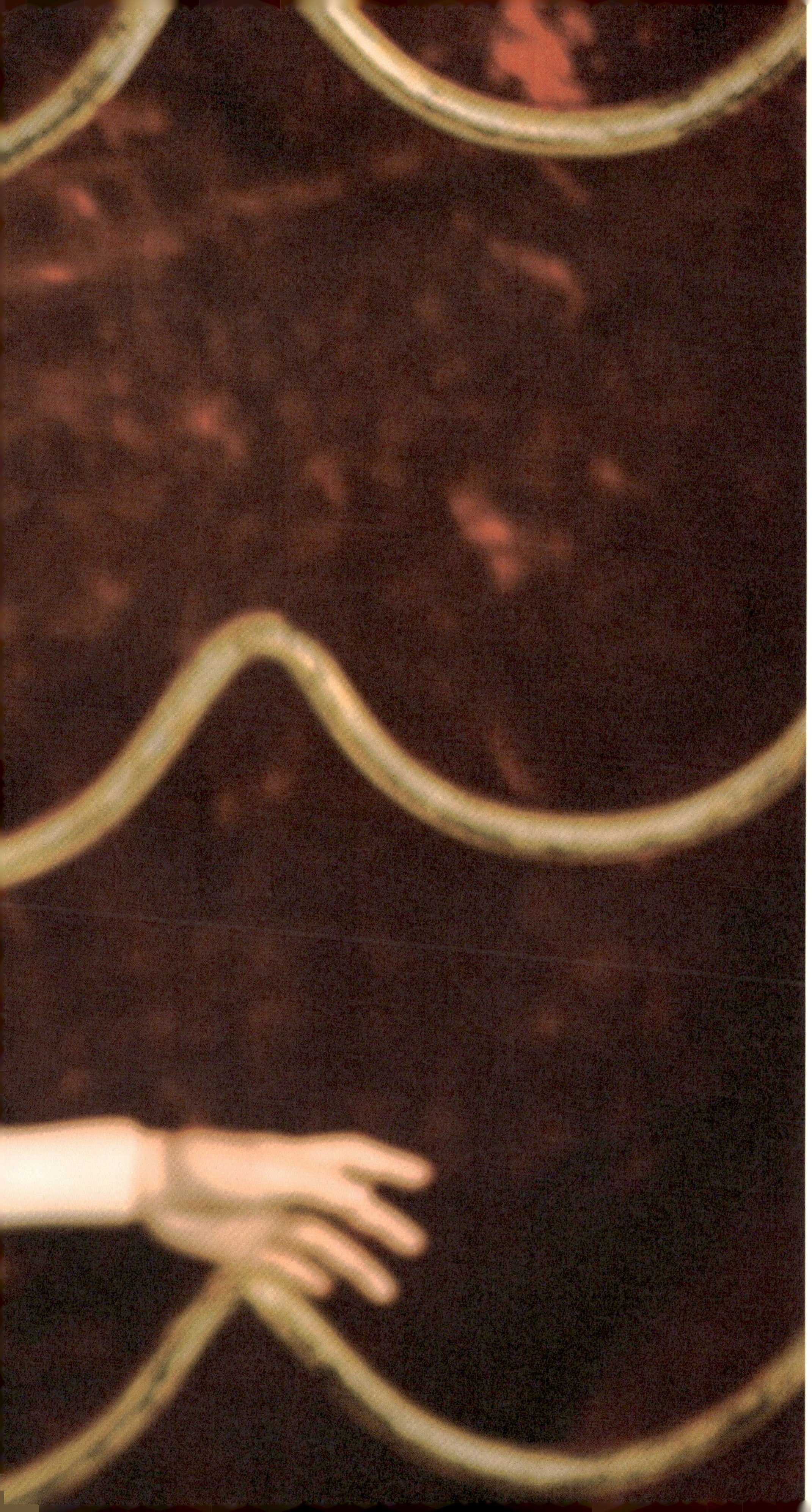

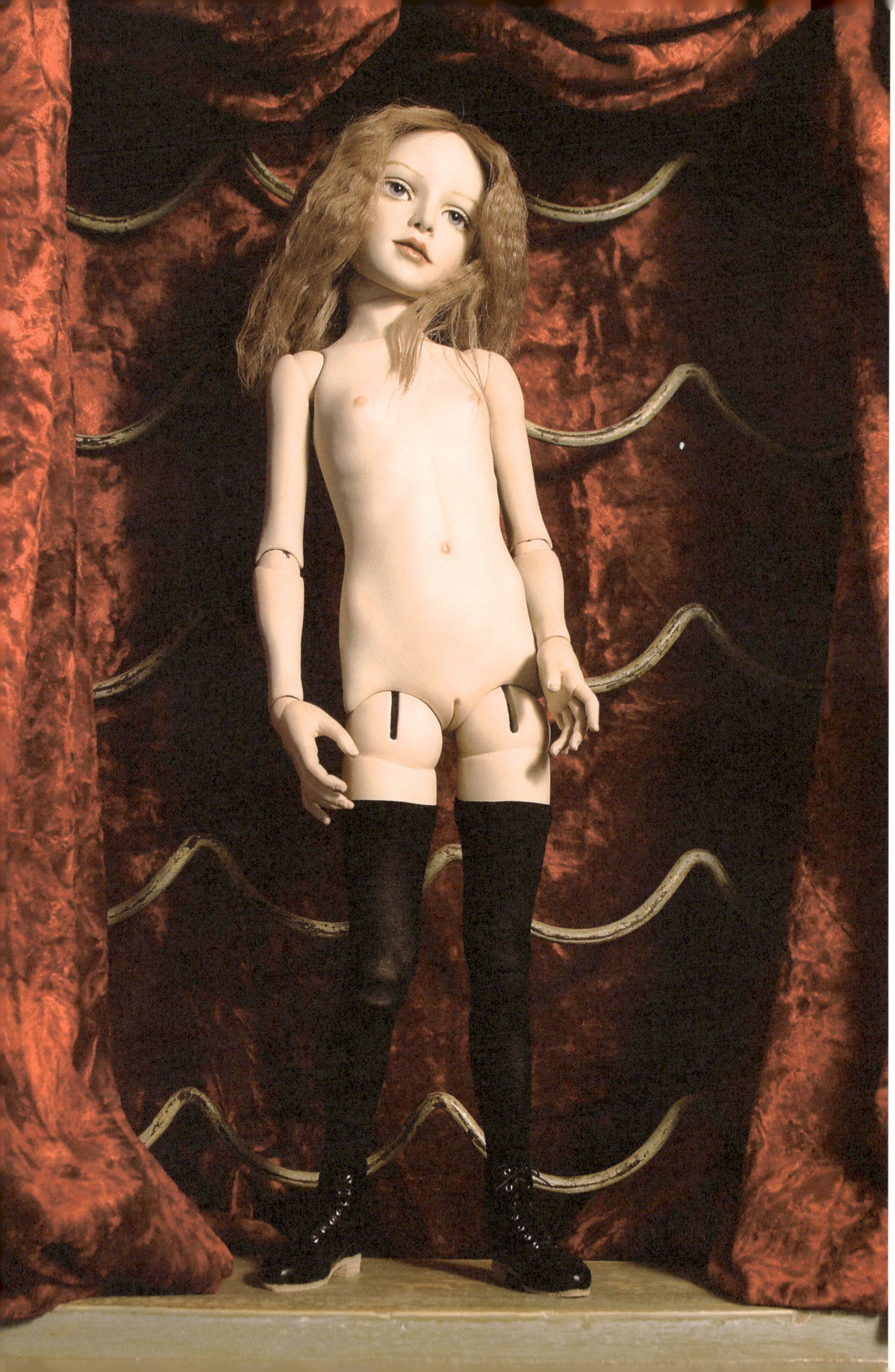

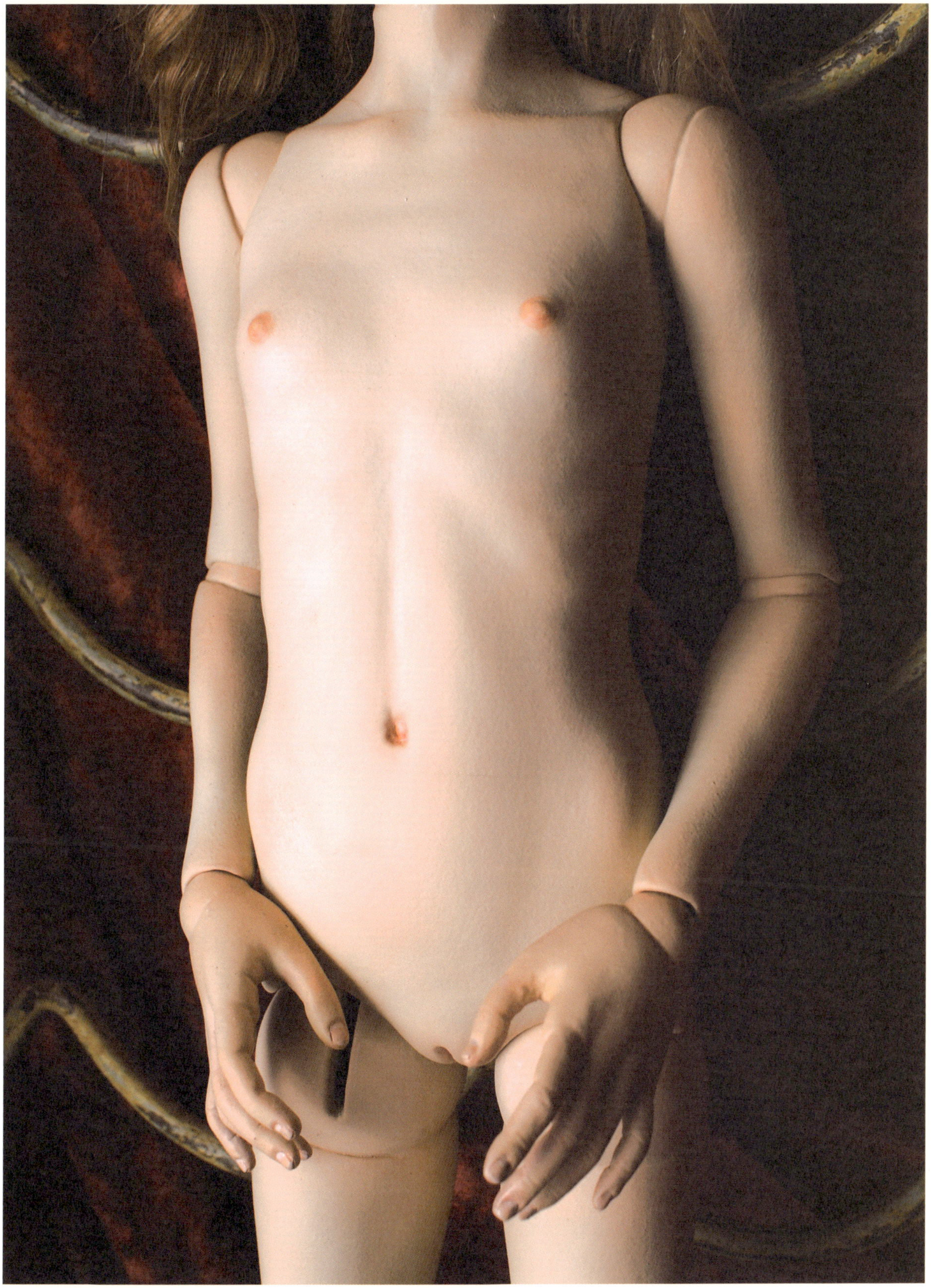

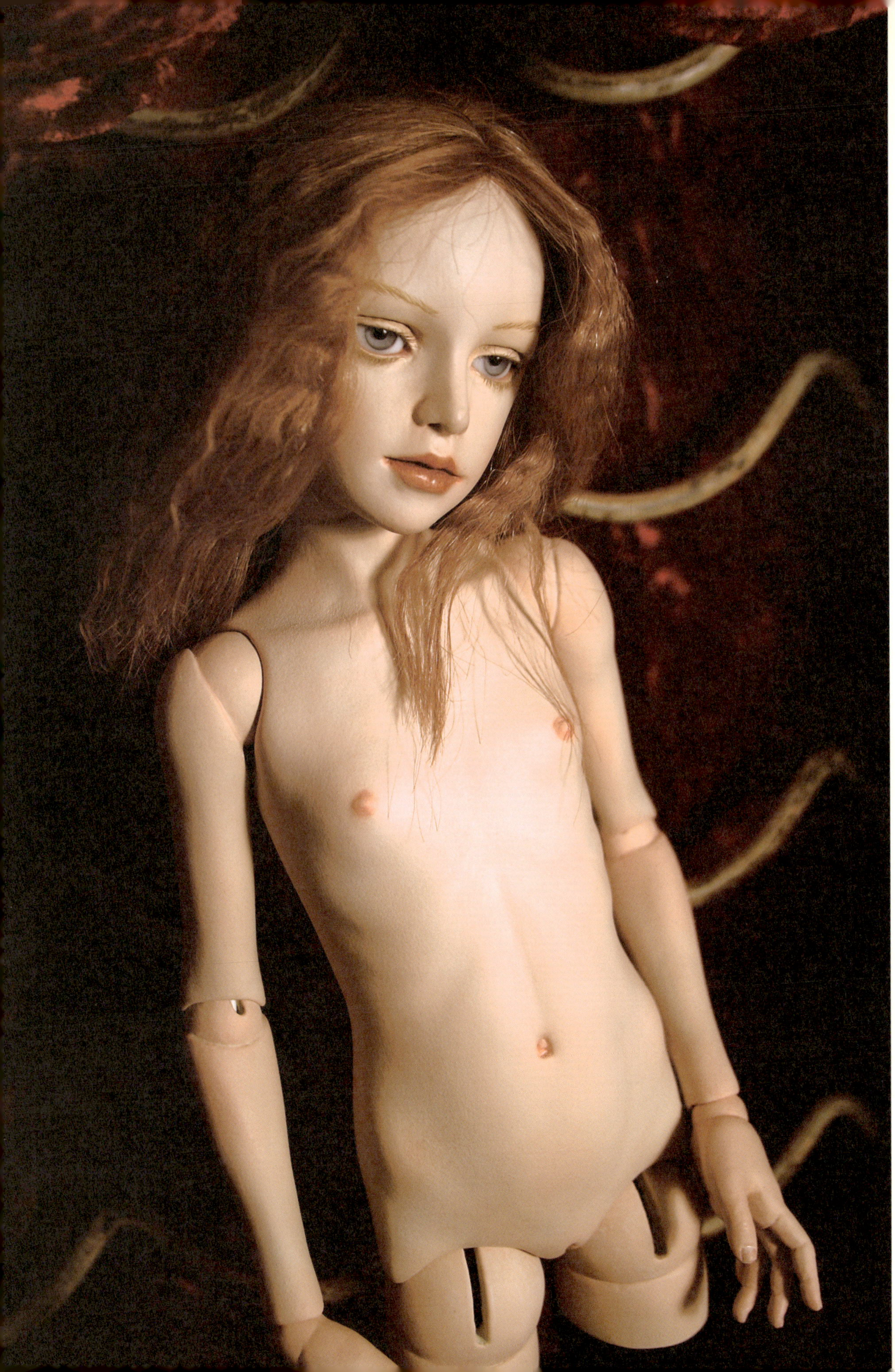

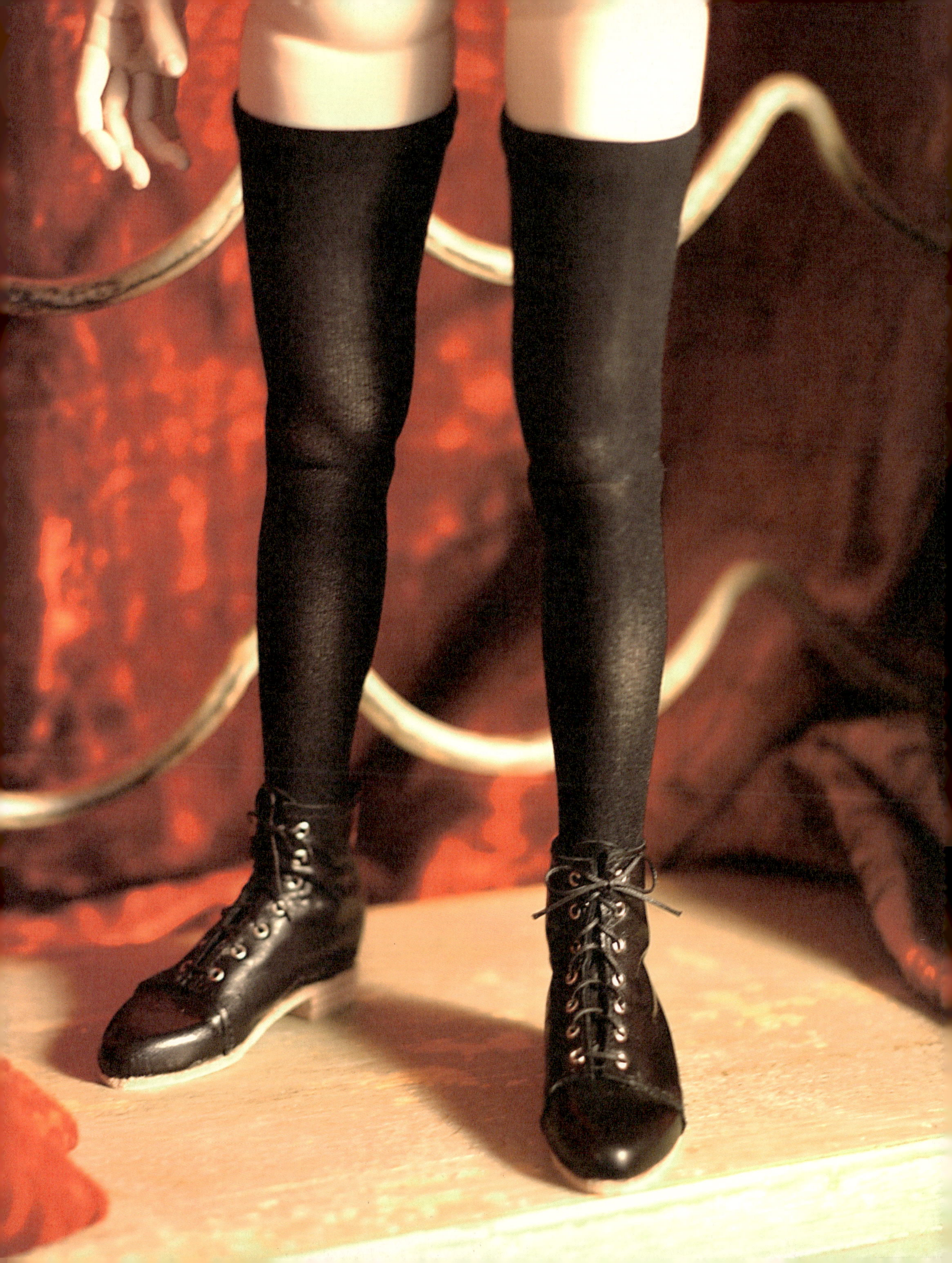

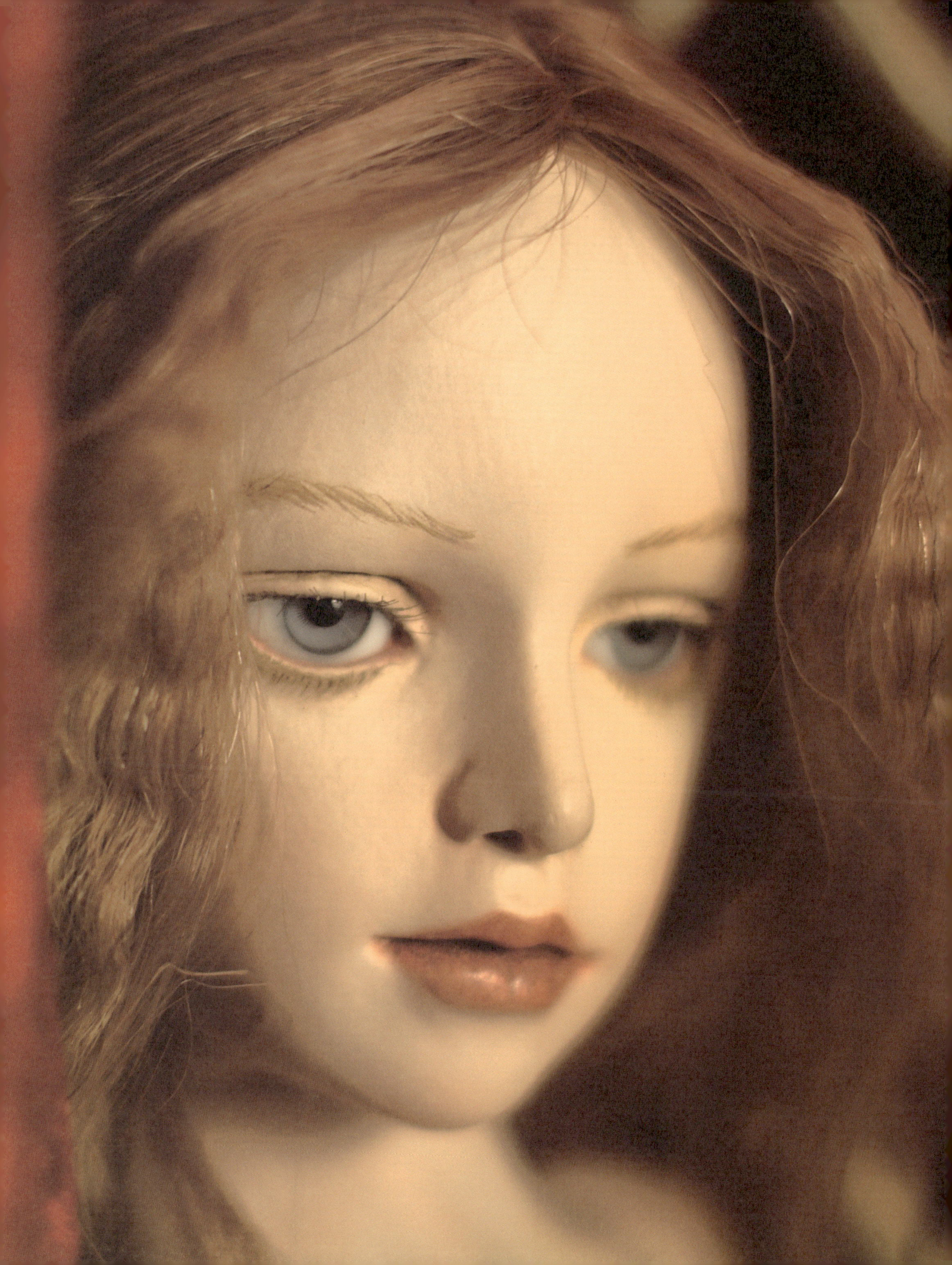

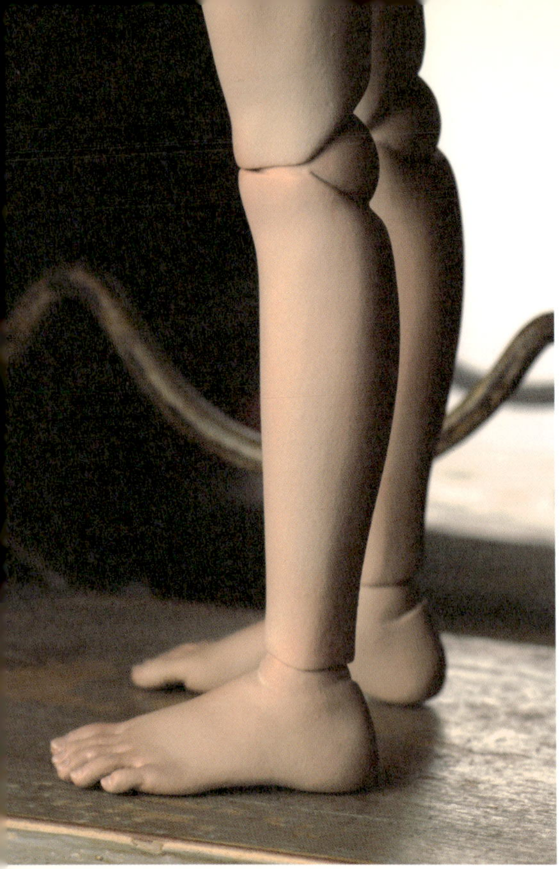
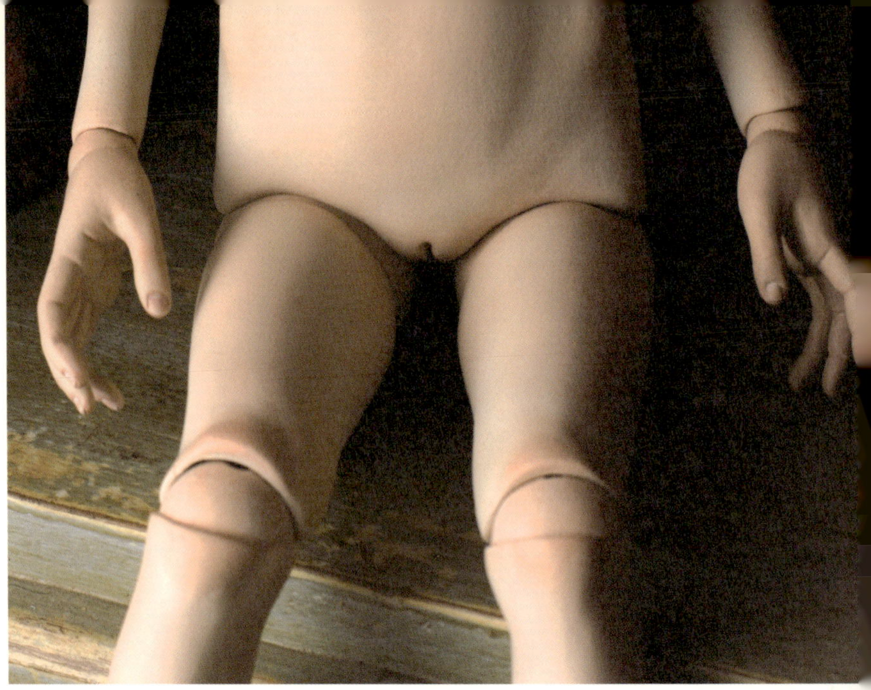
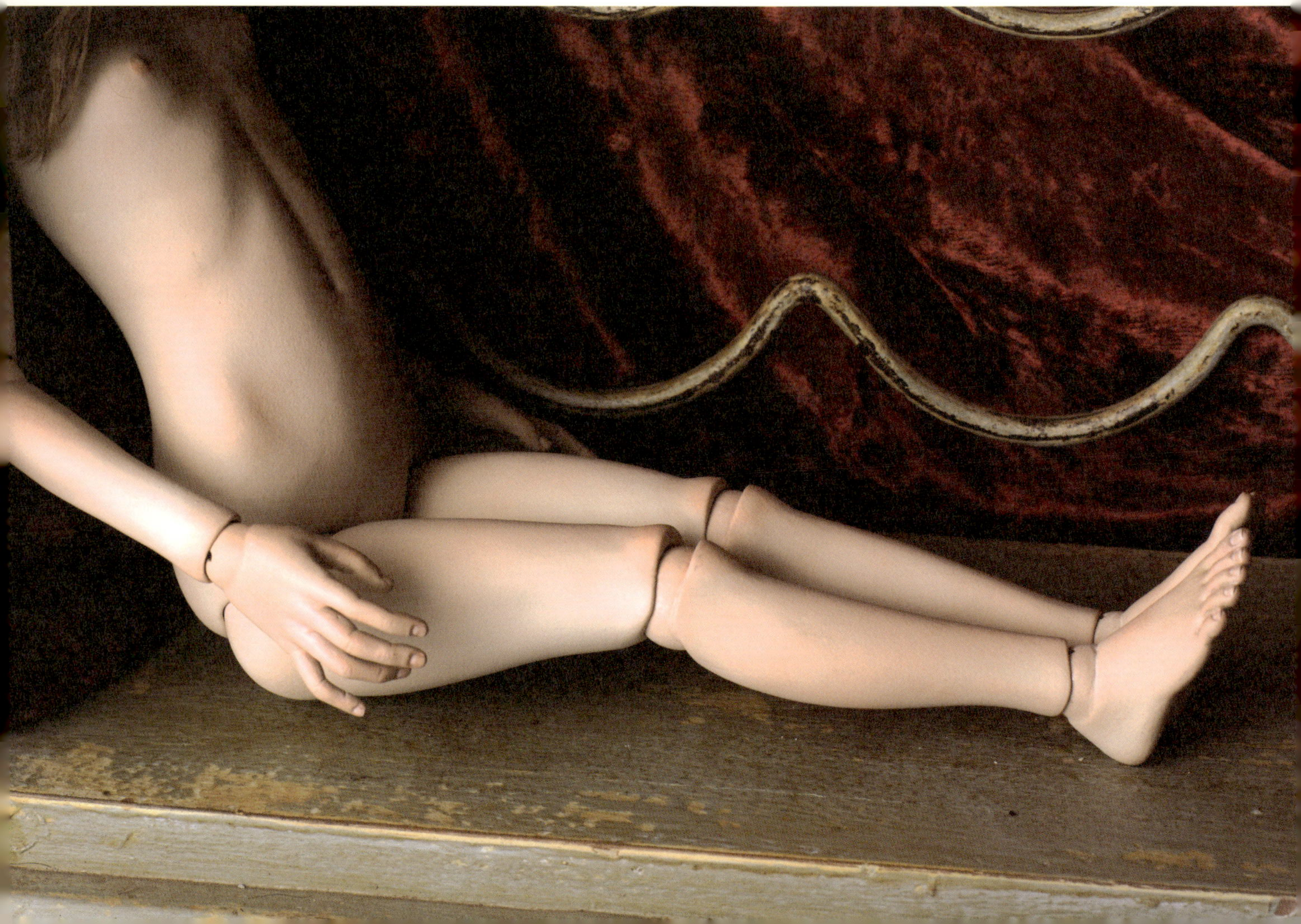

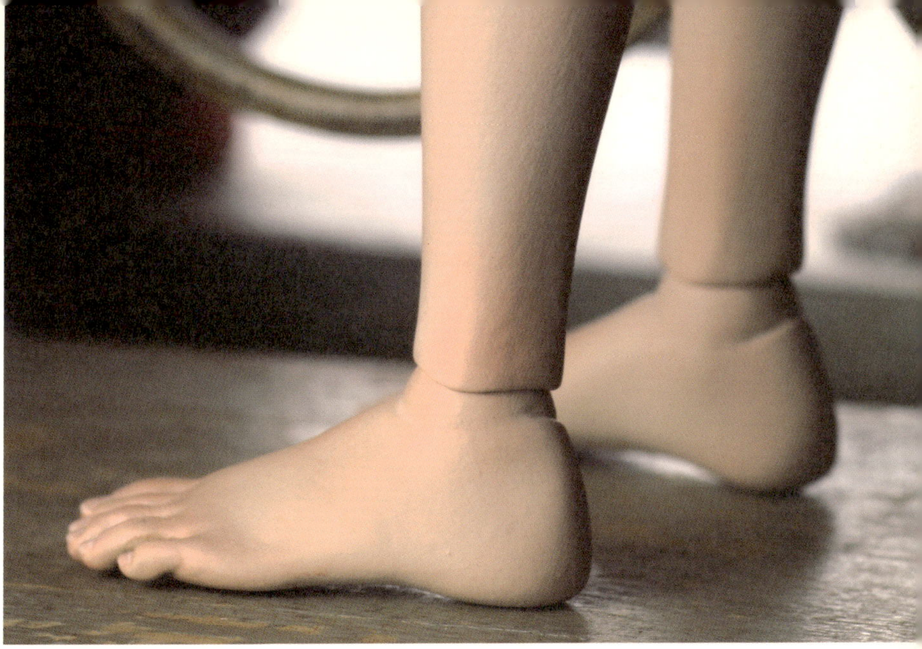
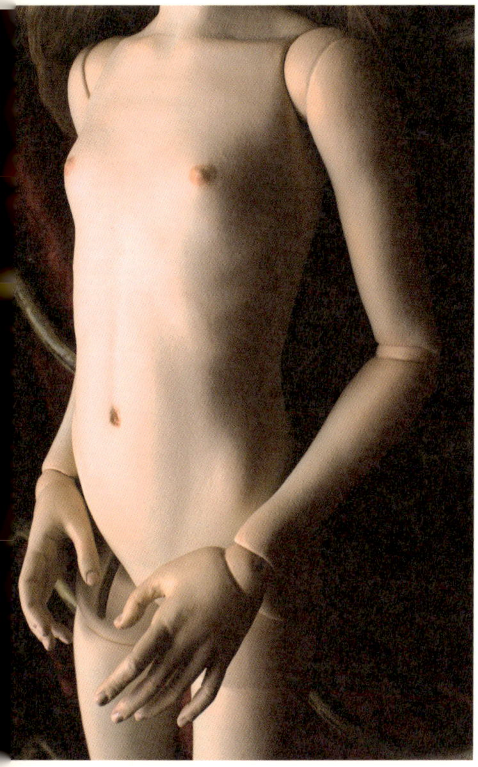
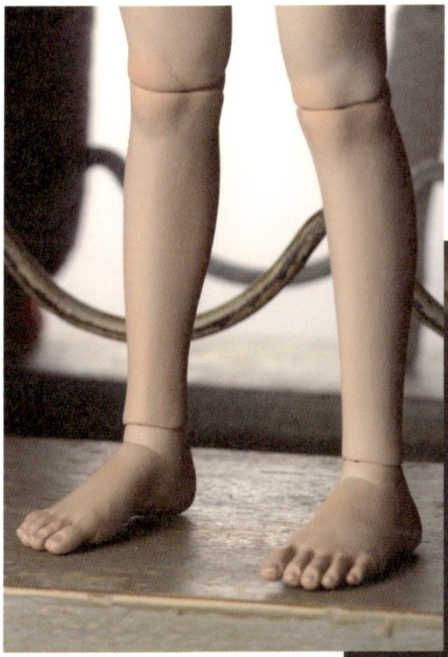
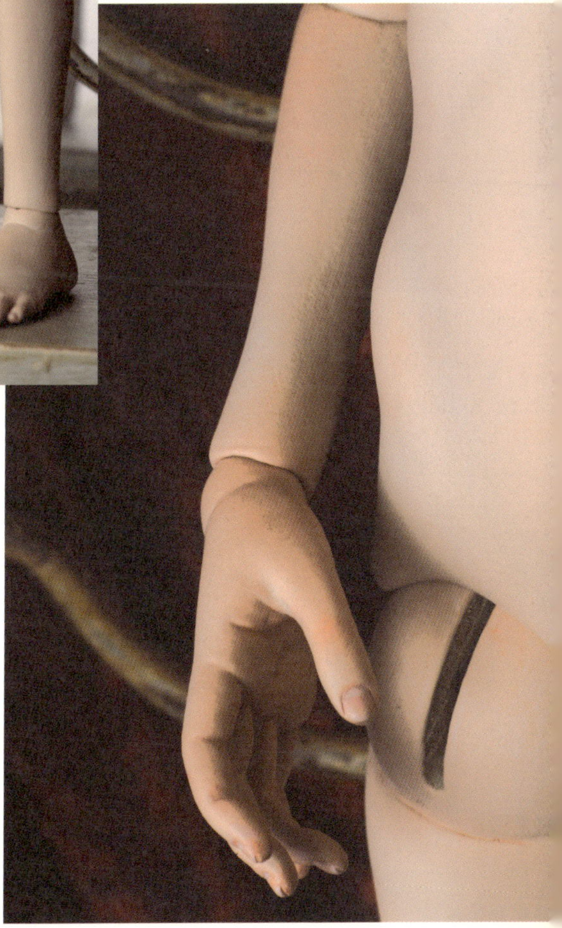
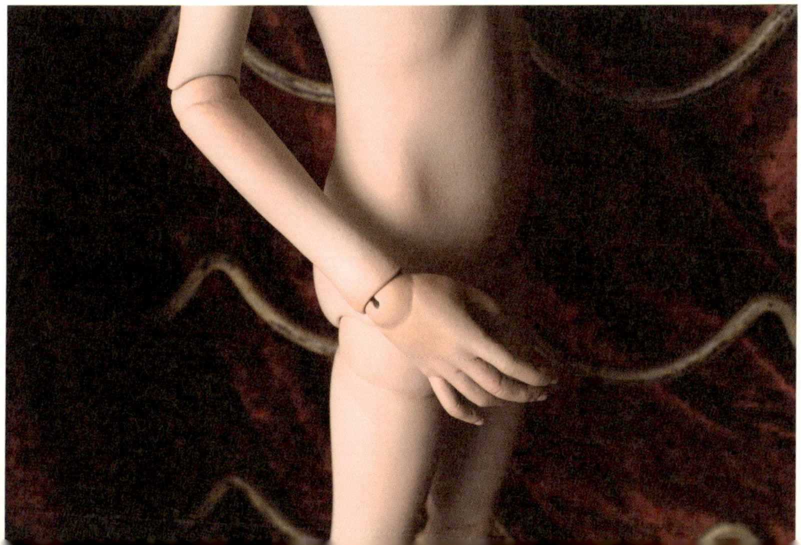

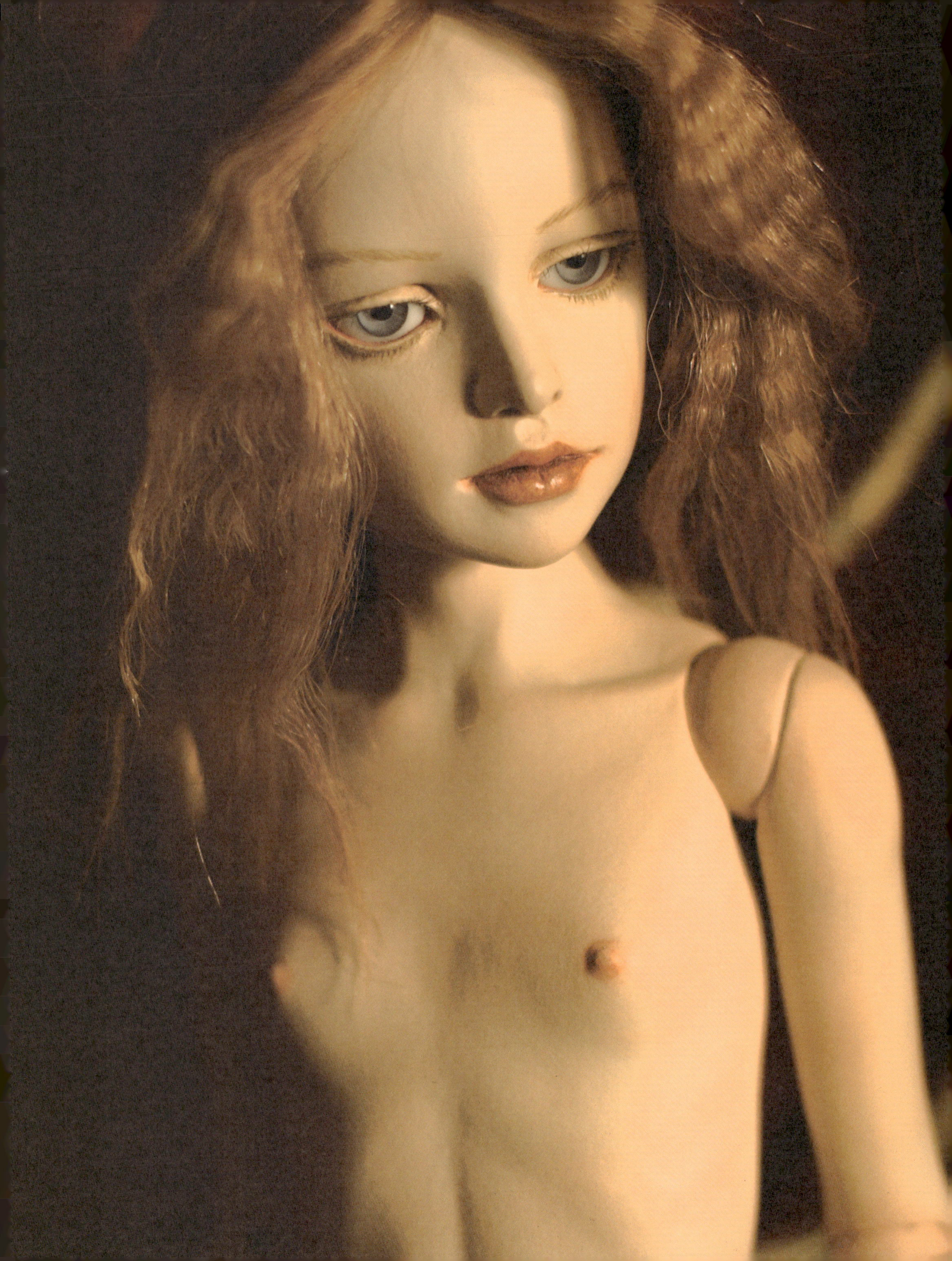

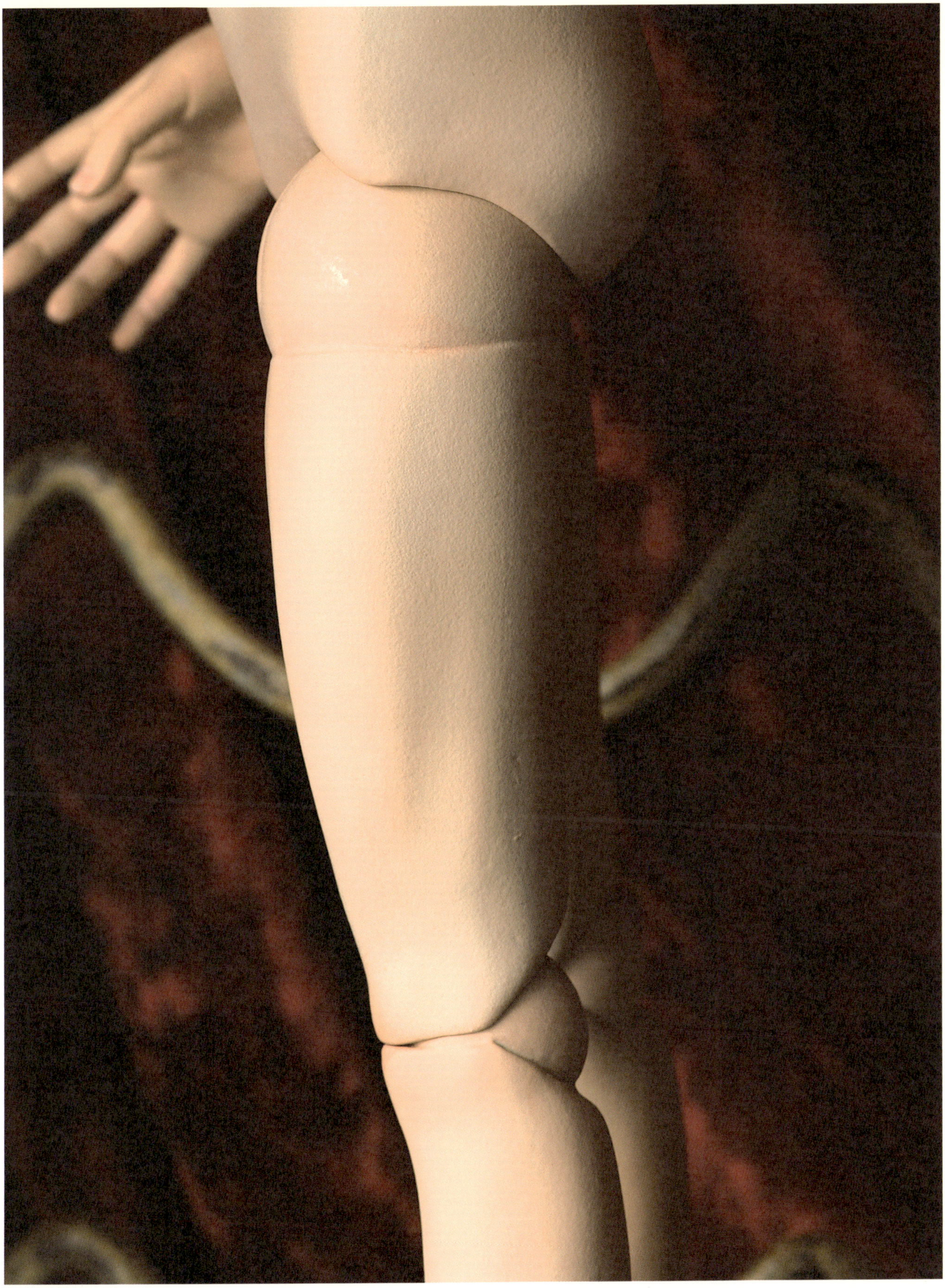

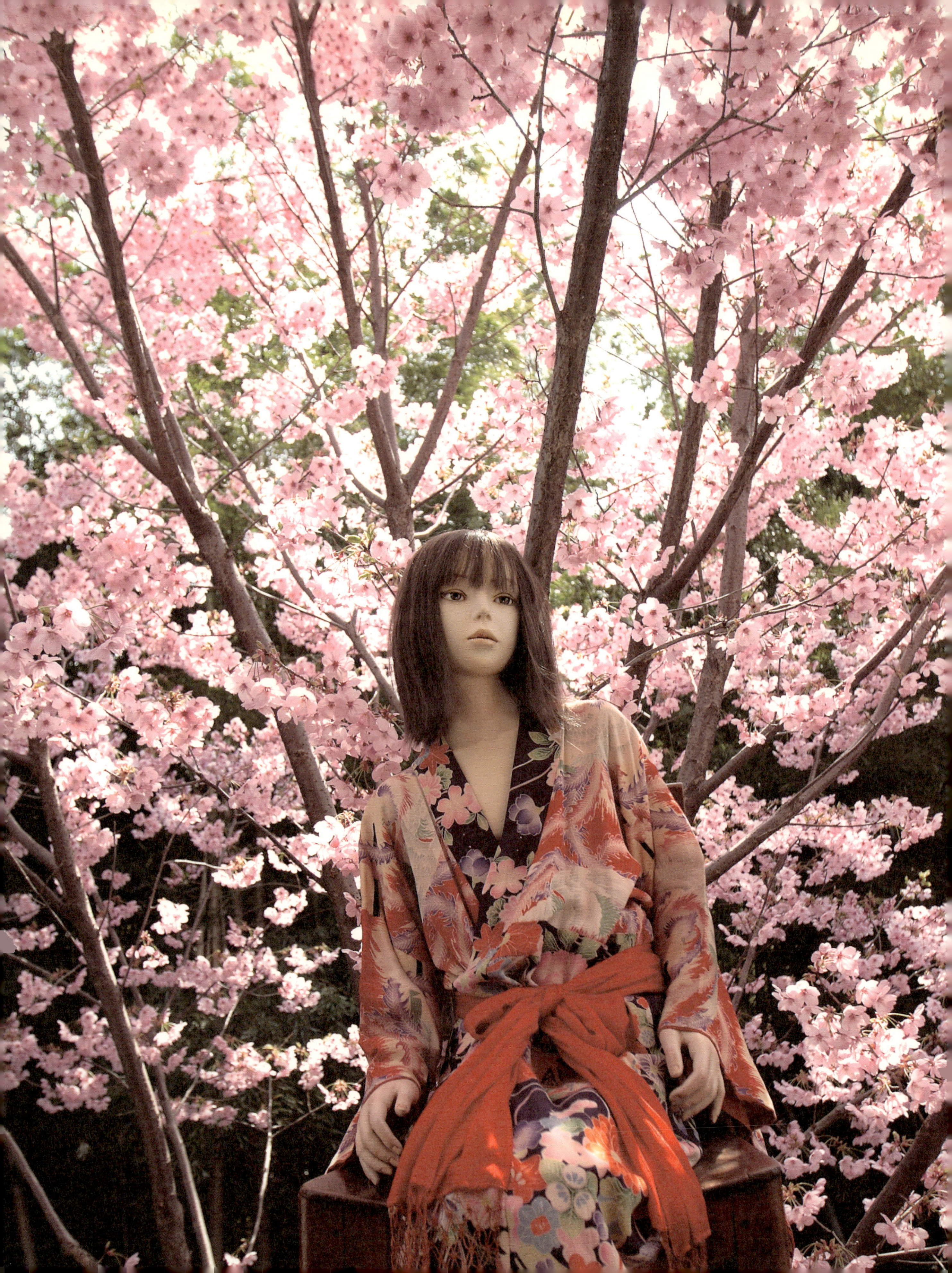

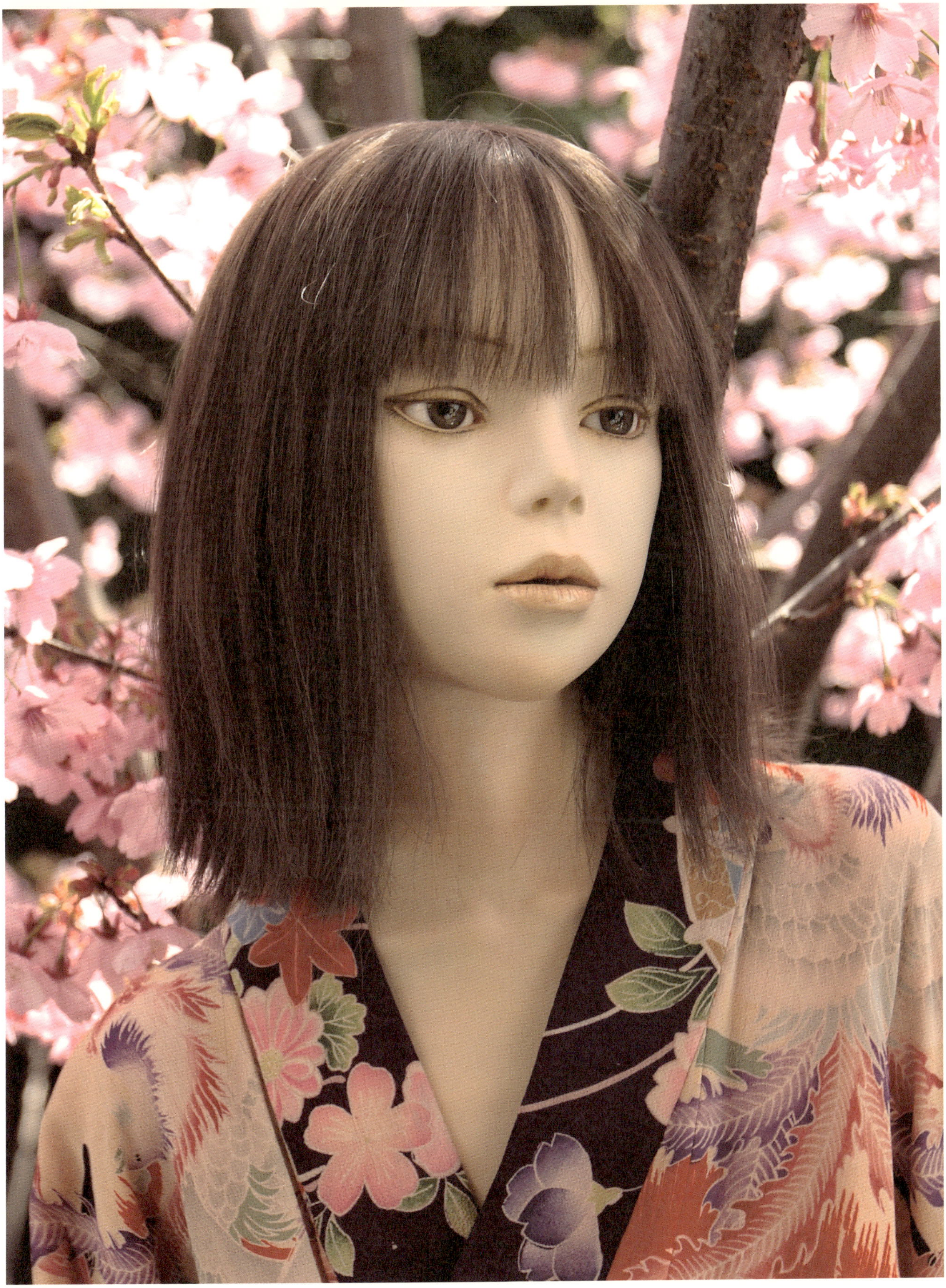

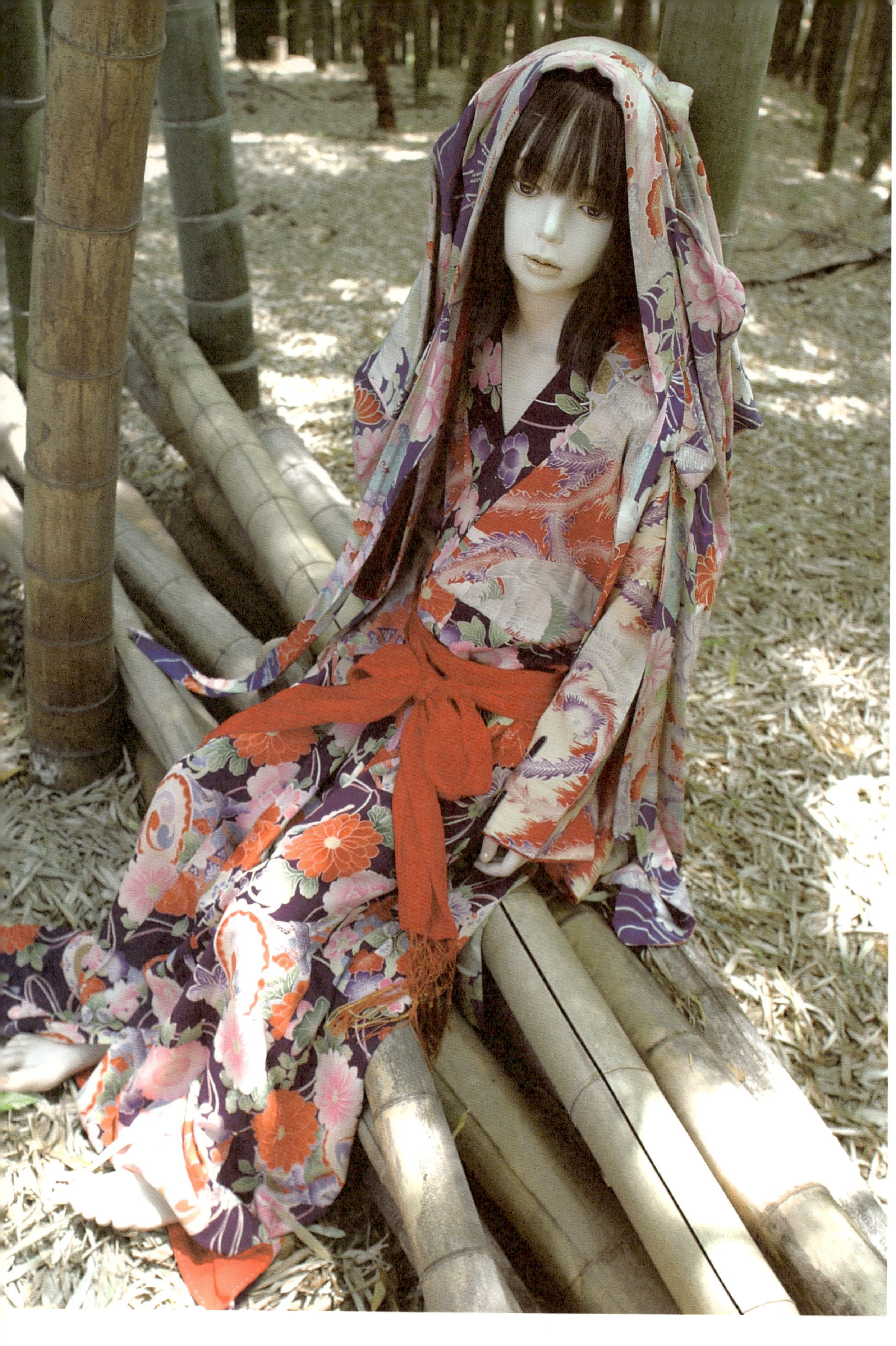

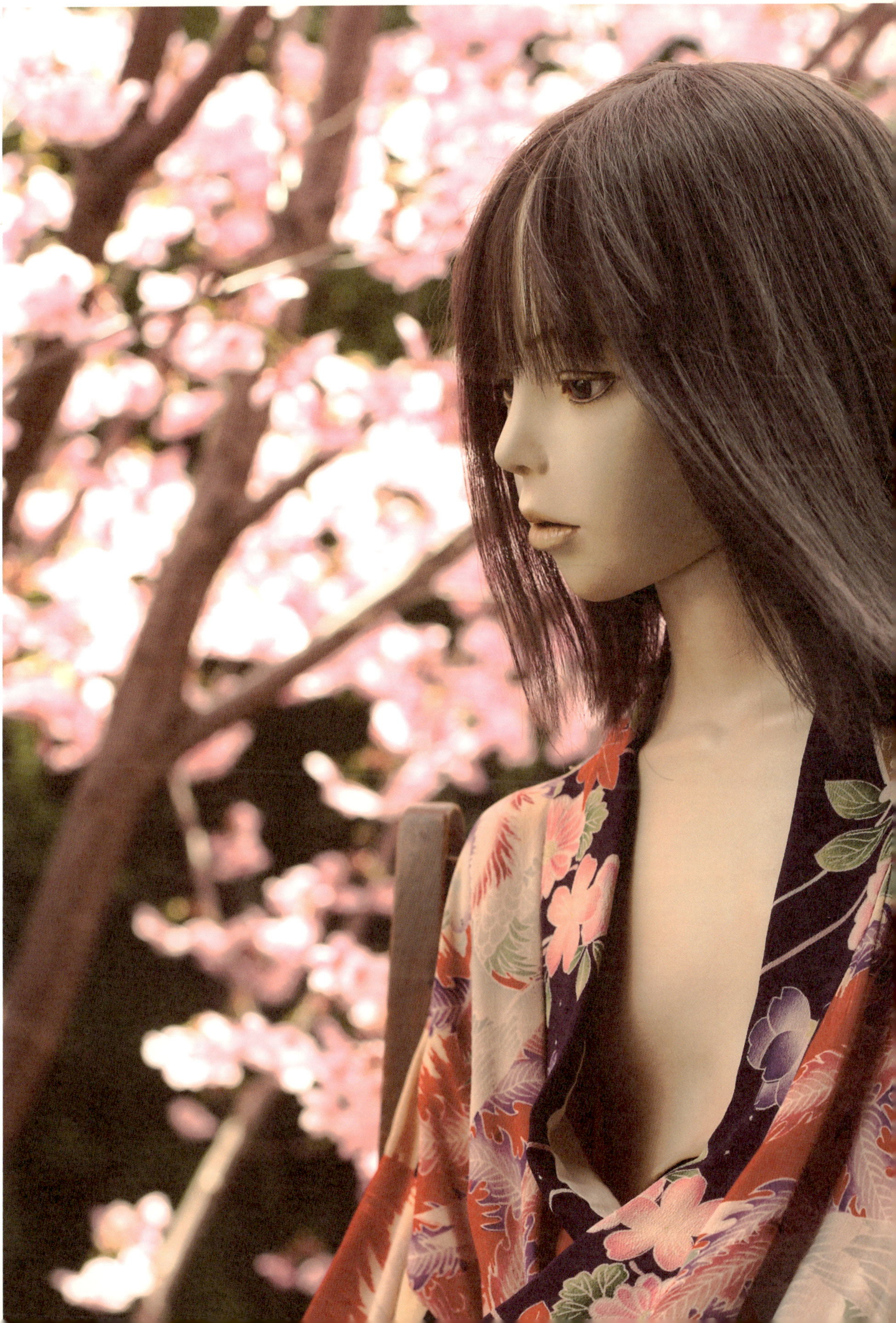

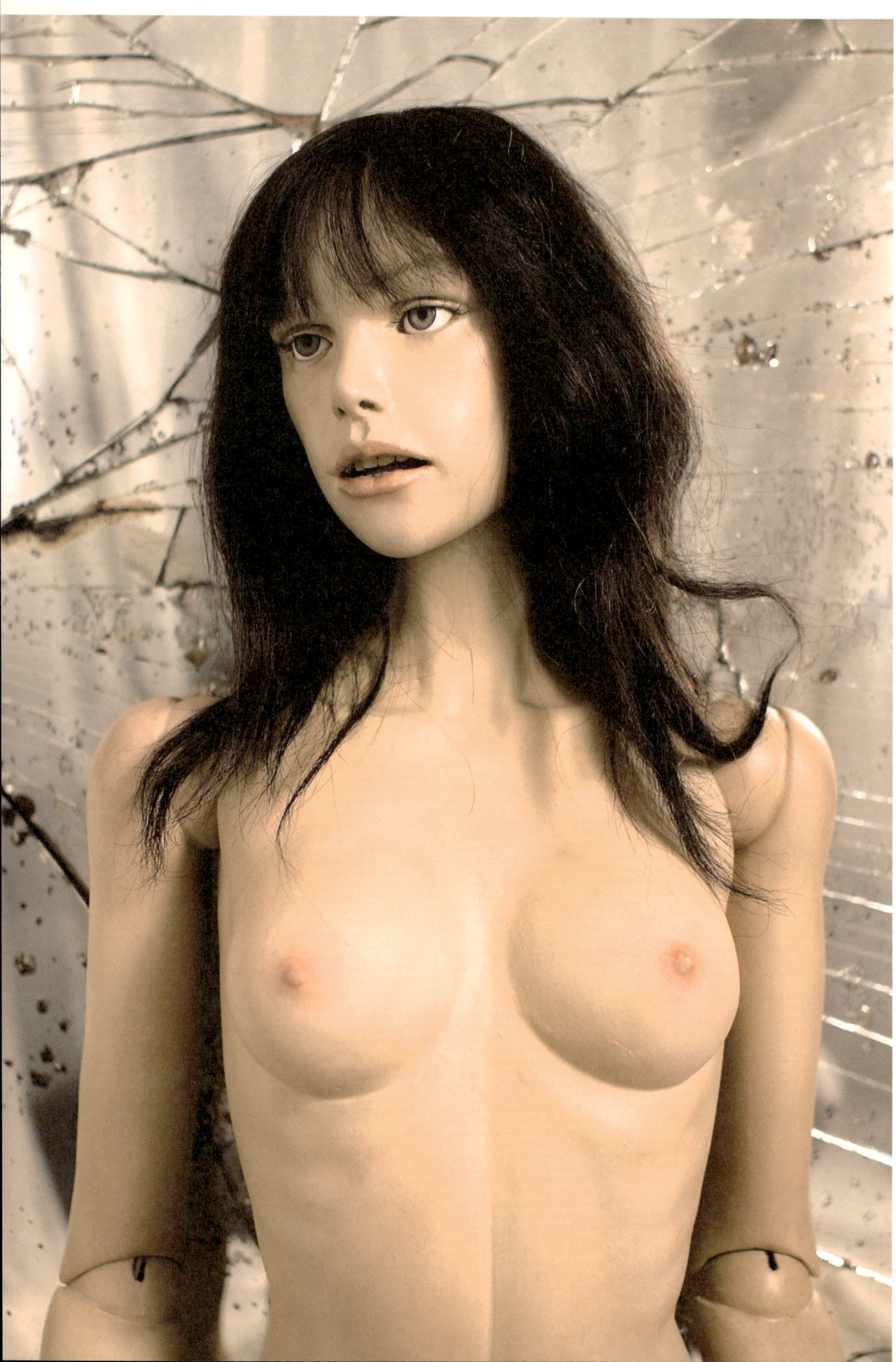

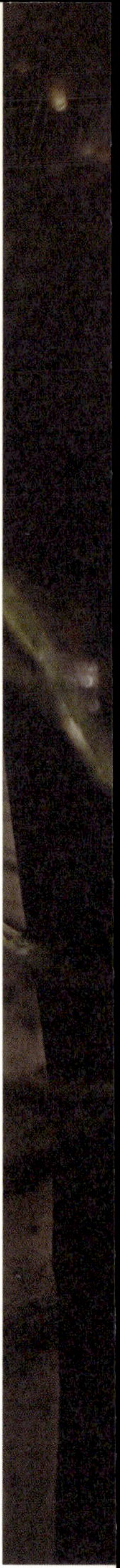

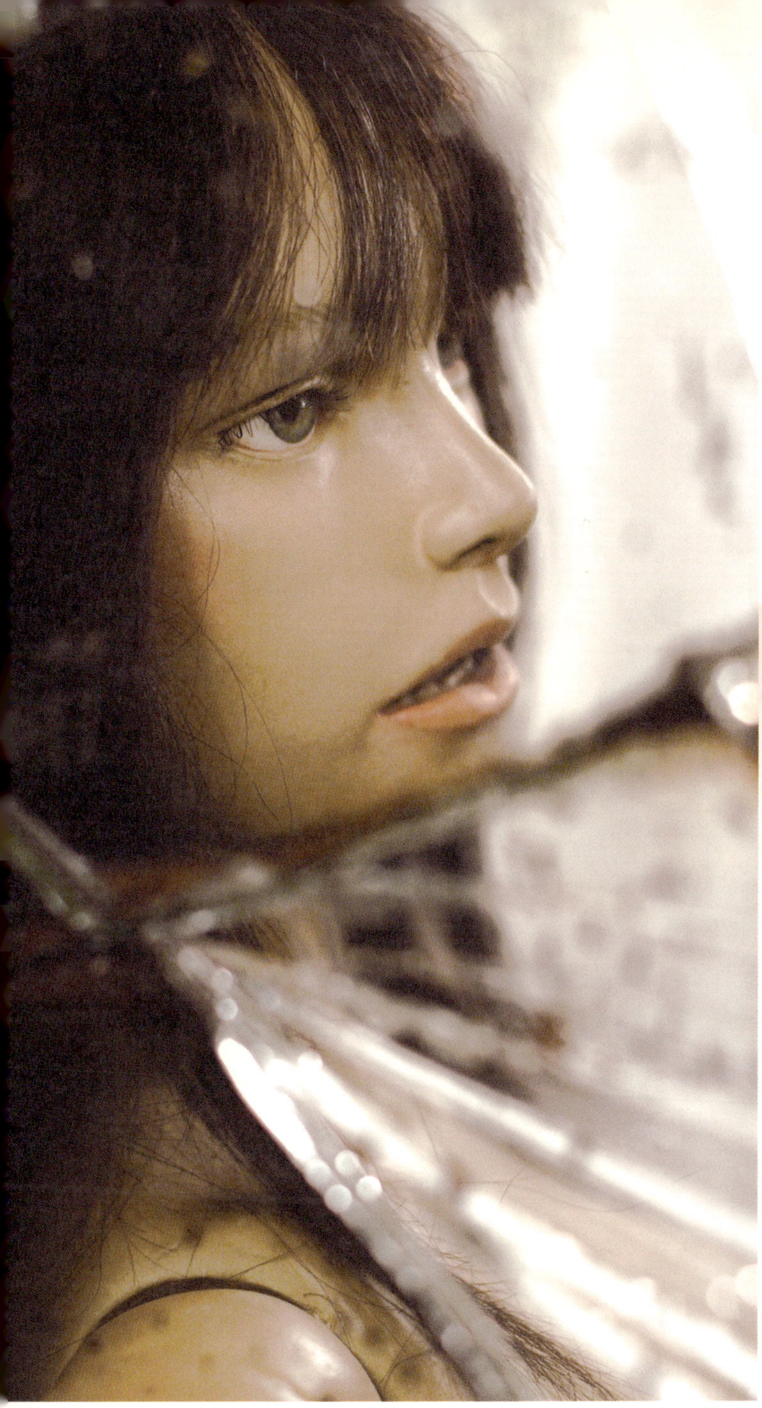

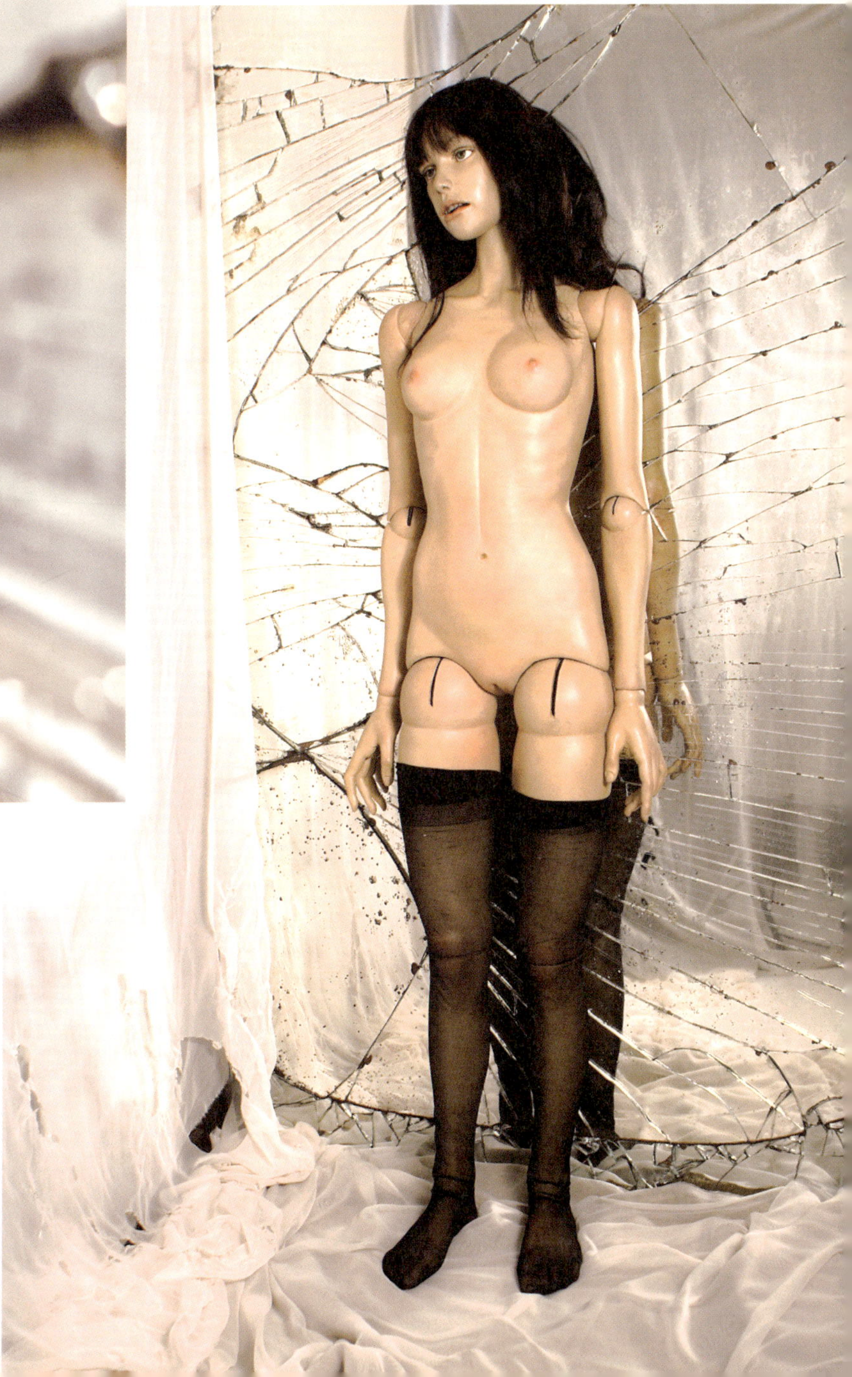

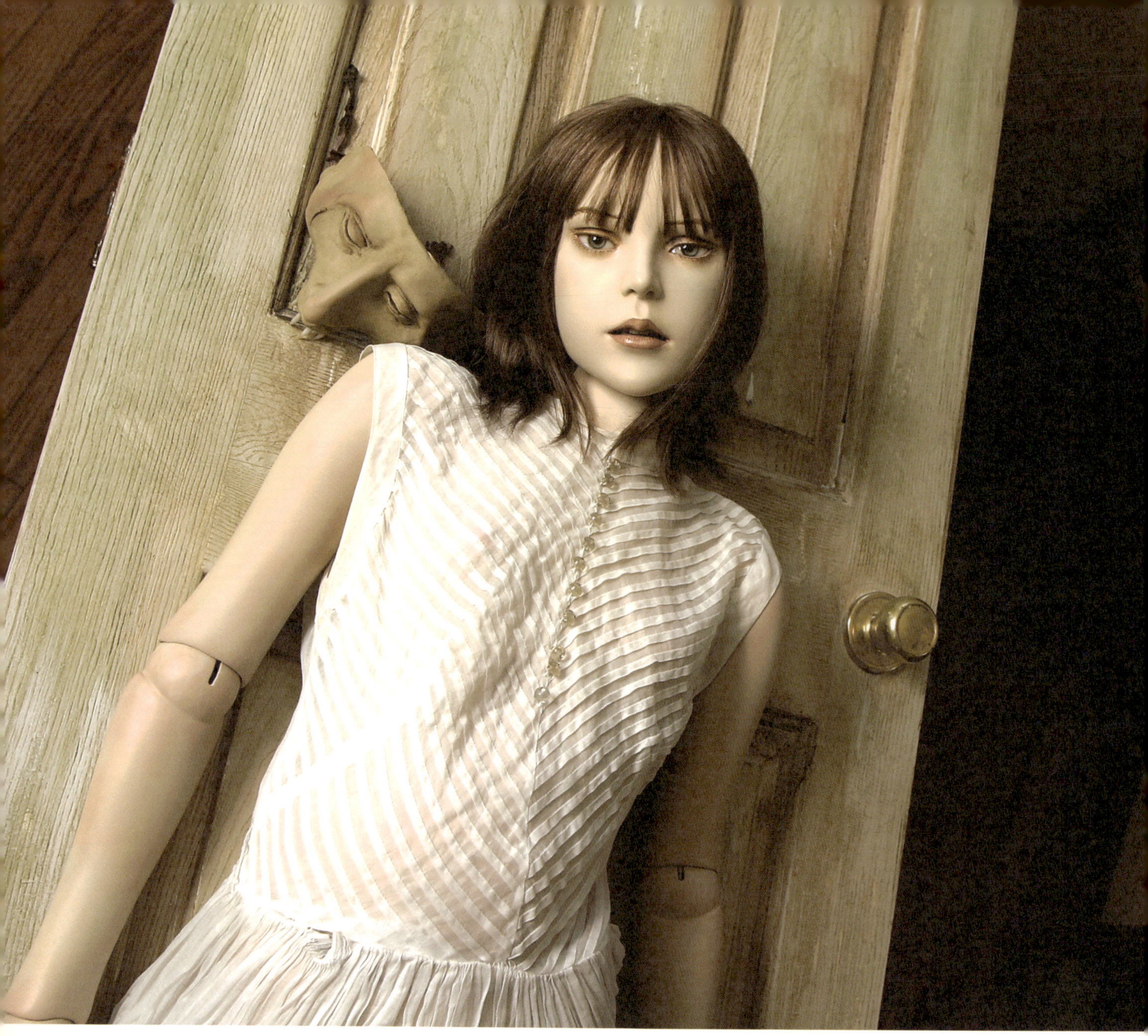

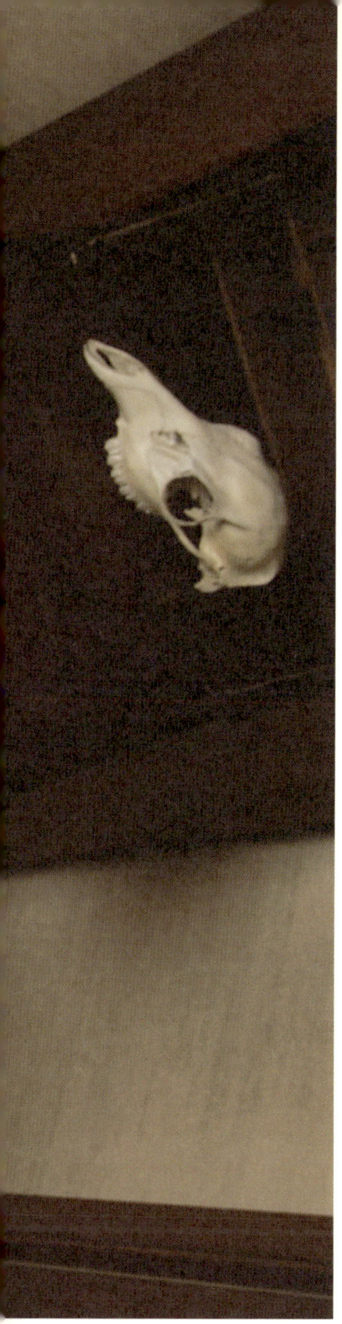

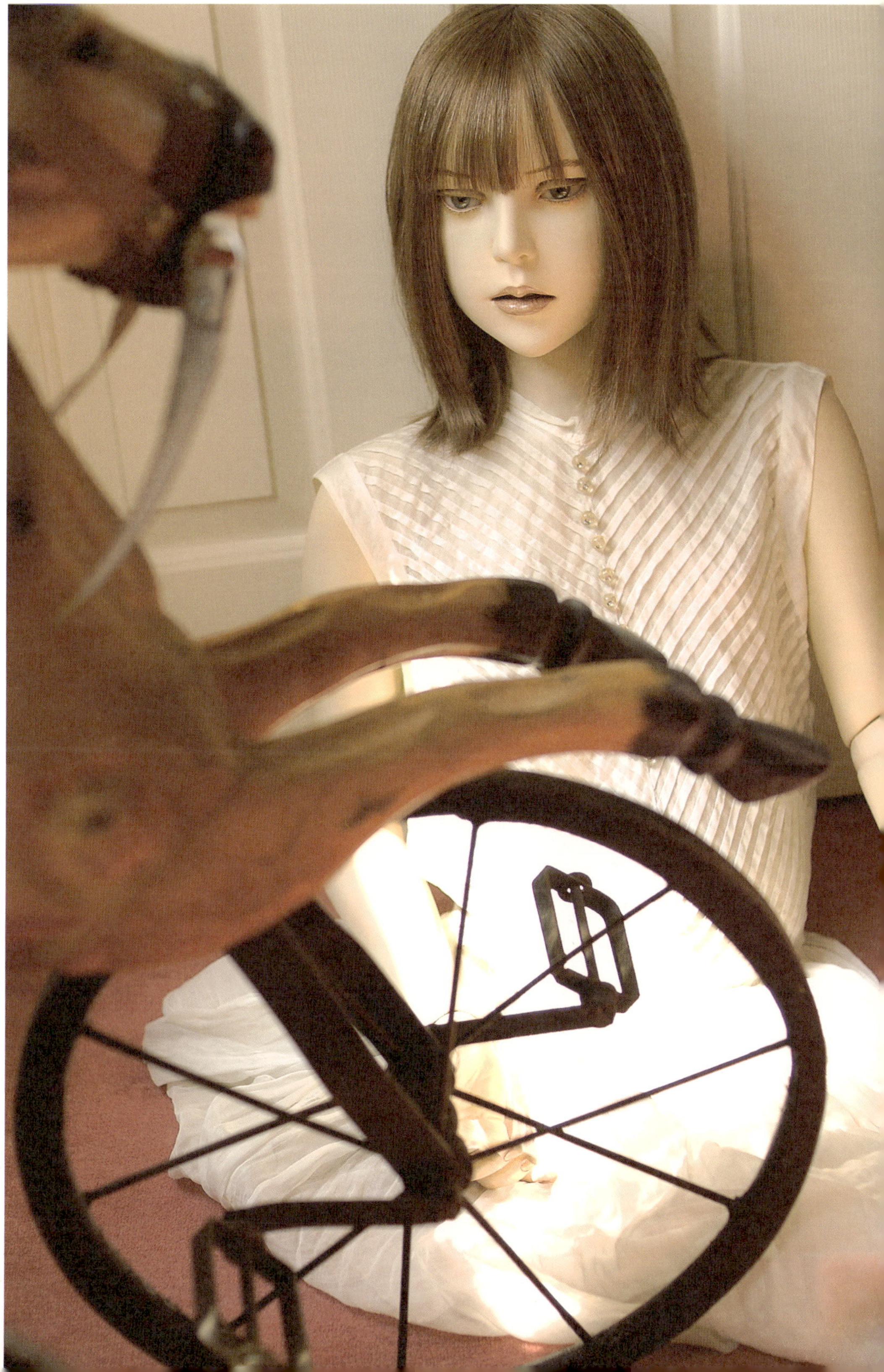

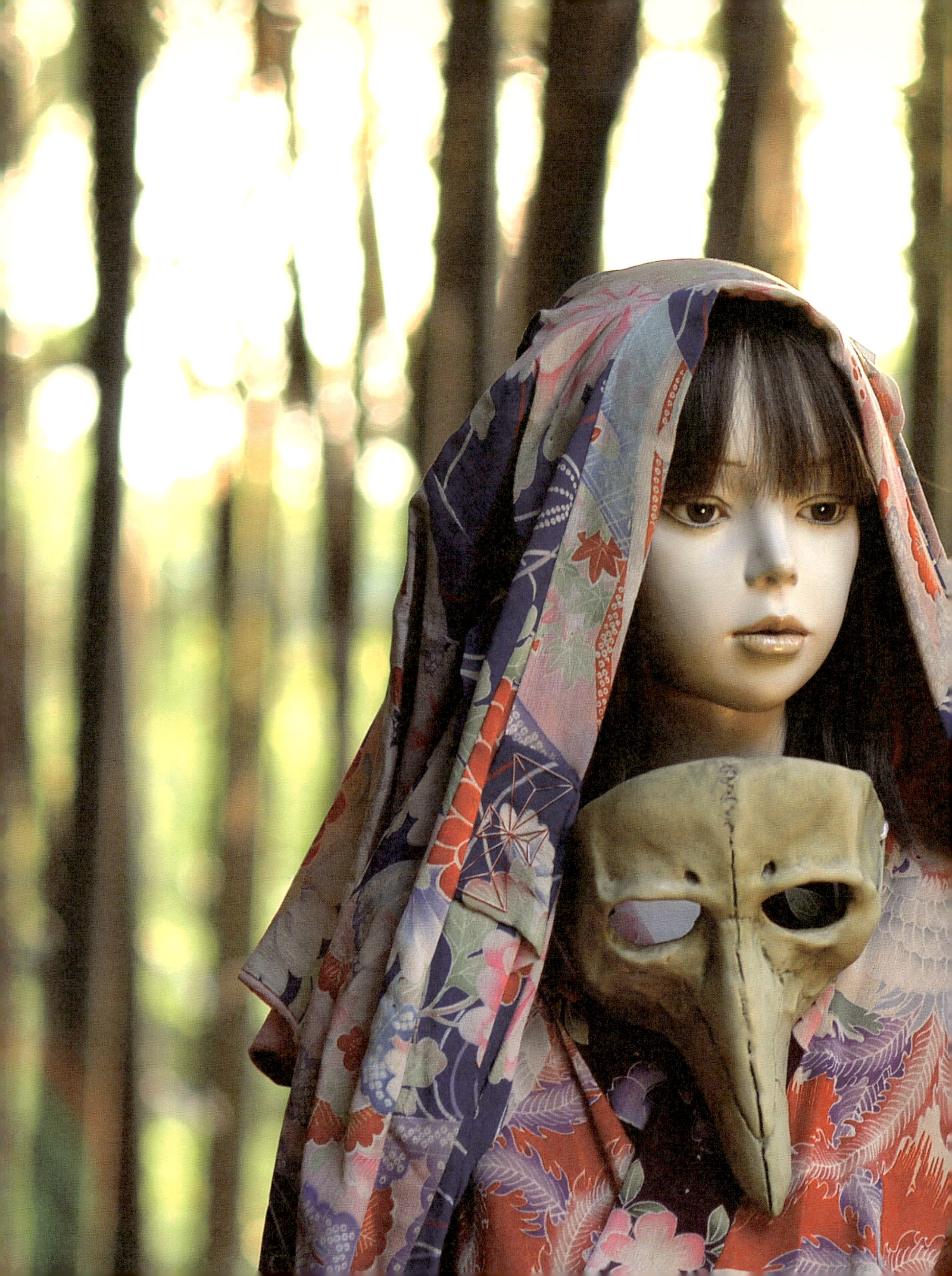

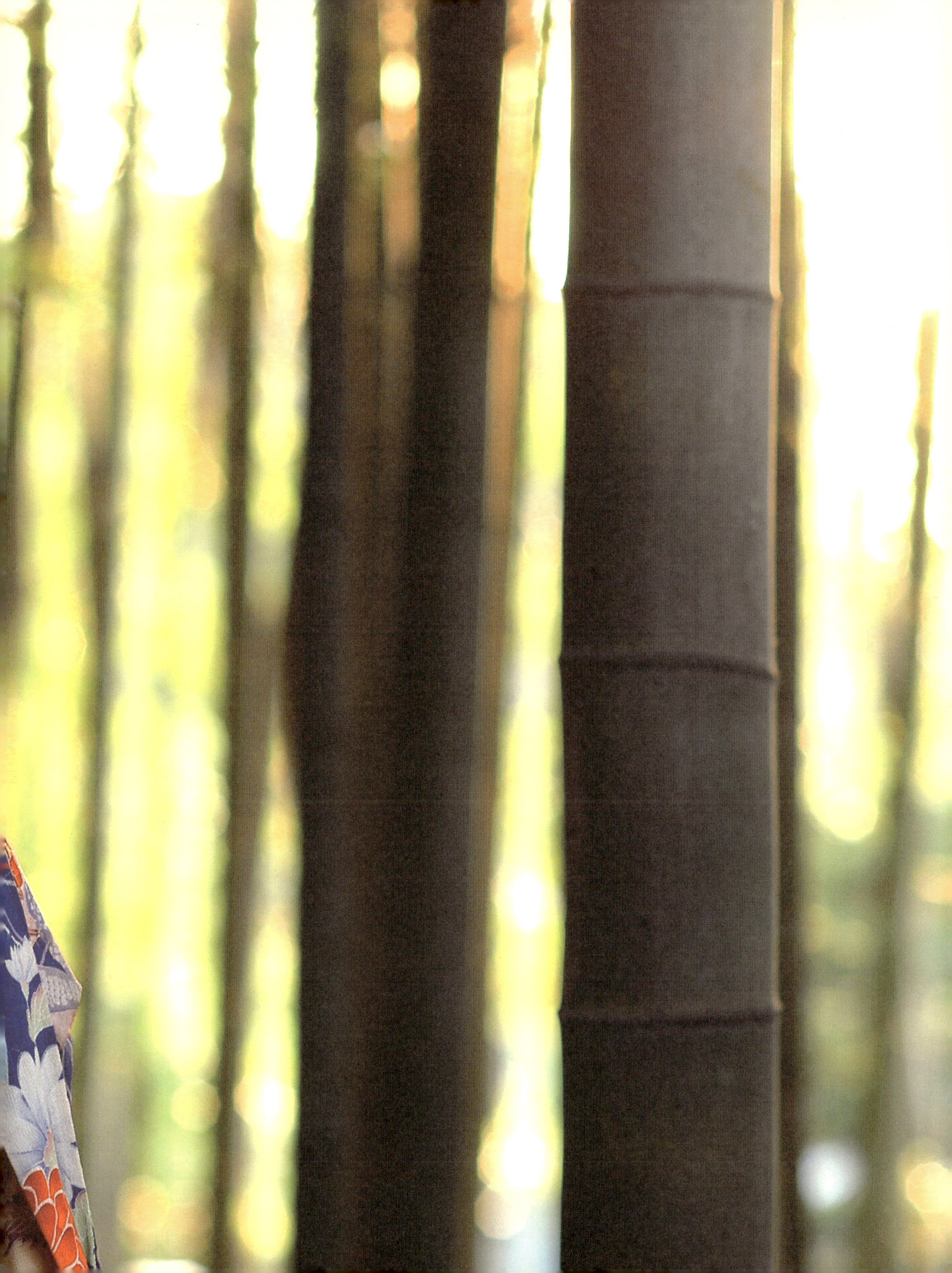

SHOP LIST
ドールアイテムショップ

本誌で紹介してある工具、道具などはほとんどが東急ハンズやDIYショップ、一般工具店で購入可能な物です。ただし、義眼やドールヘアなど特殊な素材は非常に入手しづらい場合があります。そんなときには下に紹介しているような専門店での通販・お買い物をお勧めします。

PADICO
http://www.padico.co.jp/
本社：東京都目黒区東山 3-2-4
Tel：03-3710-3011（代）
ラドールなど、粘土で有名なパジコ。種類豊富な粘土を中心に、髪、本誌で使用している基本的な道具のほとんどを幅広く取り扱っています。国内外で販売店あり。

Kiki Doll
http://kiki.cool.ne.jp/
mail：afford@a.email.ne.jp
店舗：北海道札幌市西区宮の沢1条 4-12-11
Tel：011-667-9511
義眼・モヘアヘア、他、人形材料を取り扱っています。北海道に実店舗あり。

西陣の糸屋
http://www.savageblue.com/kaminoke.htm
有限会社 吉川商事　人形の髪の毛の係
本社：京都府京都市北区上賀茂桜井町22-1
Tel：075-722-7155
Fax：075-722-7161
絹スガ糸が購入可能。まずは髪の色見本帖を取り寄せましょう。京都に実店舗あり。

株式会社　川村かつら店
http://www.kkkatura.co.jp/
本社：大阪府大阪市東成区中道 1-11-17
Tel：06-6972-0515
人形用かつら・人髪を購入可能。
梅田・東京・宇和島に営業販売所あり。

みくにビスクドール
http://mikuni.cc/
mail：mikuni-bd@nifty.com
店舗：東京都練馬区関町北 2-27-11
トウセン関町ビル 3 階
Tel&Fax：03-3929-9396
ビスクドールアイテムが中心ですが、義眼、髪、洋服の生地とレース、スタンド、器具、書籍などドール用アイテムを幅広く取り扱っています。東京に実店舗あり。

REFERENCE
参考文献

人体デッサン、筋肉の造形などの参考になる資料をいくつか紹介いたします。洋書もありますが、すべてネットなどで購入可能な物です。(2006年現在)

やさしい人物画
プロの画家を目指す人のための本ですが、骨や筋肉の構造の解説がわかりやすい。
著／A・ルーミス（マール社、1890円）
ISBN 4-8373-0103-7

やさしい顔と手の描き方
男女、各年齢ごとのバランスの違い、頭部、手の解剖図など、作画のための解説集。
著／A・ルーミス（マール社、1890円）
ISBN 4-8373-0107-X

入門 美術解剖学
基本的な人体の形態や構造を、骨格系と筋系を中心に記述。
著／高橋彬（医歯薬出版、3990円）
ISBN 4-2634-5371-9

AN ATLAS OF ANATOMY FOR ARTISTS
人体の解剖学的骨格や筋肉の構造、動きを図版・解説付きで収載。
著／Fritz Schider（Dover社、$12.95）
ISBN 0-4862-0241-0

Modeling the Figure in Clay (PRACTICAL CRAFT BOOKS)
粘土で骨組みから骨、筋肉、表皮等を乗せていきながら完成に至る迄をまとめた一冊。
著／Bruno Lucchesi
（WATSON GUPTILL社、$19.95）
ISBN 0-8230-3096-2

135

AFTERWARD

人形作りはとても根気の要る積み重ねの作業です。命を持たないマテリアルが人間の姿となり人形としての命を宿した時、作り手としての興奮と感動がそこにあります。

今回本書で解説した球体関節人形の技法は私の主宰する人形教室ピグマリオンで初級の方を対象に指導している基本的な内容です。開設以来20年の間に技法も変化していますが現在のピグマリオンのベーシックな技法のひとつです。教室には人形に魅せられて自分の手で人形制作を希望される方が多くいらっしゃいます。最近は人形の展示も多く、人形が絵画や彫刻のように表現の手段として認知されてきています。単なる趣味にとどまらず仕事としての人形作りを目指す方も増えています。技法は人形を制作する上で重要な要素ですがそれ以上に大切なのは作り手の熱意であり技術です。心に湧き上がるイメージを実現するためのプロセスはわかっても技術がないと実現はできません。技術は習得するもので、いわゆる職人技です。手が勝手に作ってくれるようになるまでには相当の数の人形を作ることが必要ですが、上手くできなくてもあきらめず繰り返し作ることで上達します。イメージが変化すれば技法も変化して当然です。関節の仕組みや表面の仕上げ、型を取って別の素材での展開等、人形の技法にもまだまだ多様な可能性があると思います。今後ますます個性的で独創的な人形が生まれてくることを期待し、私自身も頑張りたいと思います。本書が人形作りを志す方の参考となればとても嬉しく思います。

本書はホビージャパン編集部の大村さんの熱意なしには実現しませんでした。編集部のみなさん、アシスタントをしていただいた陽月さん、デザイナーの田中さん、そして何よりも読者のみなさに感謝いたします。

吉田 良

Doll making is hard work, as it requires you the accumulation of laborious tasks. But it's so exciting and joyful, too, to make clay into the human shape and breathe life into it.

Techniques I showed in this book are based on lessons of my beginners' class in DOLL SPACE PYGMALION. Though methods of doll making have being changing for last 20 years since establishment of PYGMALION, this book introduces you one of our current basic styles.

There are many people fascinated by dolls and visit my classes to make own dolls by themselves. Recently people start recognizing DOLL as a way of expression as well as other art works. You can see the fact from increasing number of doll exhibitions. Few people even aim at doll artist beyond above just a hobby.

Technique is a fundamental factor to make a doll, but enthusiasm and skills are more important. Without skills, you could never materialize it, even though you have an image and know how to make it. Skills are to learn, and it is called craftsmanship. You have to make many dolls before you get skills. You may not be good at first, but never give up and try again. Then your skills must be improved.

As your image changes, it is natural to change your skills. There are still lots of possibilities to explore in the ways to express original dolls —how to arrange ball joints, finish doll's surface, make a reproduction and develop with new material, and so on.. I wish that more unique and creative dolls would be born by you, and that encourages me to make new works. It's the most happiness for me that this book would help you who aspire to make original dolls.

This book wouldn't be published if there wasn't Ms. Omura, an editor of HOBBY JAPAN. Thanks a lot to all of the staffs of HOBBY JAPAN, Ms. Hizuki as an assistant, Ms. Tanaka who designed this book and you.

Ryo Yoshida

吉田式 球体関節人形 制作技法書
発行日：2006年9月16日 第1版
　　　　2008年1月25日 第5版

著者・写真：吉田 良
アートディレクション・デザイン：田中麻子（uNdercurrent）
企画・編集：大村斉子

協力：陽月、ピグマリオン

発行人：山口英生
編集人：村瀬直志
発行所：株式会社ホビージャパン
〒151-0053　東京都渋谷区代々木2-15-8 新宿Hobbyビル
電話：03-5304-7601（編集）／03-5304-9112（営業）
www.hobbyjapan.co.jp

印刷・製本：大日本印刷株式会社

乱丁・落丁の場合は送料弊社負担でお取り替え致します。
購入された店舗名を明記して当社出版営業課宛にお送りください。禁無断転載

©Ryo Yoshida / printed in Japan　ISBN 978-4-89425-460-2　C0076